知念実希人

甦る殺人者
天久鷹央の事件カルテ
完全版

実業之日本社

目次

甦る殺人者
Resuscitated Serial Killer
天久鷹央の事件カルテ
[完全版]

プロローグ

深夜の工事現場、静脈が怒張するほどに両腕に力を込めつつ、男は目を閉じた。ロープを通して伝わってくる感触が、官能の波になって脳髄を痺れさせる。

興奮を息に溶かして吐き出しながら瞼を開けると、苦痛と恐怖に歪んだ若い女の顔が視界に飛び込んできた。顔面の皮膚は赤黒くうっ血して、半開きの口からは舌がだらしなく飛び出ている。

充血し、涙を溜めた目が男に向けられた。哀れを誘う眼差しに、さらに強い快感が襲いかかってくる。ロープを左右に引いたまま、男は優しく微笑んだ。べつに彼女に恨みがあるわけではない。それどころか名前すら知らなかった。ただ、心の奥底から止め処なく湧き出してくる衝動に身を任せ、獲物を狩ったにすぎない。

「悪いな。でも、……仕方がないんだよ」

双眸から意思の光が消えつつある女に向かって、男は静かに語りかける。

そう、仕方がないのだ。自分は異形の怪物。生まれながらの殺人者なのだから。

「……いや、生まれる前からか」

自虐的(じぎゃく)に唇の片端を上げたとき、虚空(こくう)を掻(か)いていた女の手が男の腕に触れる。長い爪(つめ)が皮膚を引っ掻き、鋭い痛みが走った。

いいぞ、もっと抵抗しろ。もっと俺を悦(よろこ)ばせてくれ。胸が張り裂けんばかりの歓喜をおぼえながら、男は歯を食いしばった。

大きく開いた女の口から断末魔のうめき声が漏れ、その体が大きく痙攣(けいれん)しだした。同時に、男は絶頂を迎える。闇(やみ)に覆(おお)われた天空を仰ぎながら、女と同じように体を震えさせ、全身を貫く快感の波に意識を委(ゆだ)ねた。

体中の細胞を冒(おか)していた悦楽がゆっくりと引いていく。気怠(けだる)い満足感をおぼえながら、男は視線を下ろす。激しくもがいていた女の両手は垂れ下がり、瞳孔(どうこう)が開ききった瞳(ひとみ)からは命の光が消えていた。力を抜くとロープが緩み、女の体が崩れ落ちた。

男はロープを放り捨てると、満足げに息を吐く。ついさっきの快感を反芻(はんすう)しながら身を翻(ひるがえ)したとき、足元にしずくが落ちた。腕を見ると、さっき女に引っ掻かれた傷から滲(にじ)んだ血が肘(ひじ)の先端から滴(したた)り落ちていた。男は口角を上げる。きっと、警察はこの血液やロープから必死に俺を探そうとするのだろう。けれど、そんなことは不可能だ。

なぜなら俺はもう死んでいるのだから。

俺は死から甦(よみがえ)った怪物だ。無能な警察どもが俺を逮捕などできるわけがない。

腹の奥から小さな笑いが漏れる。やがてそれは哄笑（こうしょう）となり、喉（のど）を突きぬけた。

ひとしきり笑いの発作に身を委ねた男はゆっくりと工事現場をあとにすると、寂れた住宅街の路地へと溶けるように消えていった。

第一章　真夜中の絞殺魔

1

「で、今日はなんの用なんだ?」

目の前に座る猫背の中年男に向かって天久鷹央が言う。若草色の手術着の上にややサイズの大きな白衣を纏った短身瘦軀。高校生、ときには中学生にすら間違えられる童顔だが、その実、二十八歳の立派な成人女性で、しかも僕の直属の上司だったりする。

「いや、本当にお久しぶりです天久先生、ついでに小鳥遊先生。あれですね、二月の密室での溺死事件以来ですね。あれからもう三ヶ月ですか」

ついでにってなんだよ……。鷹央の隣に座る僕、小鳥遊優は冷めた目を男に向ける。くたびれたサラリーマンのような外見に反して、この男が油断ならない人物であることは、これまでの付き合いでよく知っていた。警視庁捜査一課の刑事、桜井公康。鷹央が首を突っ込んだ事件で何度か顔を合わせた男だ。桜井の隣には、スーツを着た小太りの男が座っている。年齢は三十前といったところだろう。

天医会総合病院。東久留米市全域の地域医療を担う六百床を超える大病院の十階にある統括診断部外来診察室に、僕たちはいた。

時刻は午後五時半を回っている。十分ほど前、午後の外来を終えた鷹央と僕が引き上げようとしていると、一階の受付から内線電話で連絡が入ったのだ。「刑事さんがいらして、天久鷹央先生に面会を希望しているのですが」と。

診察室まで上がってきてもらうように告げると、やってきたのは桜井だった。刑事というからてっきり、よく顔を合わせる成瀬隆哉が来たものだと思っていた。田無署刑事課の刑事である成瀬は、この近辺で不可思議な事件があると（嫌々ながら）非公式に鷹央の知恵を借りに来ることがある。

それなのに、まさかこの人が来るなんて……。警視庁捜査一課殺人班に所属する桜井が扱うのは、基本的に殺人事件だ。悪い予感が胸に広がっていく。

「挨拶なんていいから、さっさと用件に入れよ。ほれ、早く」

鷹央の猫を彷彿させる大きな目が輝いているのを見て、さらに不安が膨らむ。超人的な知能と無限の好奇心を持った鷹央は、不可思議な事件を見つけると、なにかにつけて首を突っ込んでいく。その際はもれなく部下である僕も巻き込まれるのだ。

大学病院からの出向でこの統括診断部にやって来てからの十ヶ月で、数えきれないほどの事件にかかわってきた。その中には命の危険をおぼえたものすらある。どうか、またおかしなことに巻き込まれませんように。僕は胸の中で祈る。

「そうですねえ。さて、どこから話したものか……」

腕を組んだ桜井がつぶやくと、隣に座っていた小太りの男が軽く身を乗り出した。

「あの、ご挨拶が遅れました。私、綾瀬署刑事課の三浦と申します。天久先生のお噂はかねがね。密室の溺死事件だけじゃなく、遺体のテレポート事件や、大宙神光教の事件も解決なさったとか。お目にかかれて光栄です」

三浦と名乗った男は、人の好さそうな笑みを見せる。

こういうタイプもいるのか。これまで鷹央に対して敵愾心を露わにする刑事が多かっただけに、三浦の反応は新鮮だった。

「まあ、私が解決した事件はそれだけじゃないけどな」

気をよくした鷹央は、得意げに鼻を鳴らしながら薄い胸を反らした。

「そういえば、今日は成瀬さんは一緒じゃないんですね」

僕はまだ腕を組んでいる桜井に話しかける。去年、僕が赴任してすぐこの病院で起こった殺人事件の際、桜井とパートナーを組んでいたのが成瀬だった。

「ああ、いま私が所属する殺人班が担当している事件は、綾瀬署に捜査本部が立っているんですよ。だから、綾瀬署の三浦君とペアを組んで捜査に当たっているんです。成瀬君は田無署ですから」

　桜井が顔を上げると、こらえきれなくなったのか鷹央は身を乗りだす。

「だから、お前が担当している事件っていうのはなんなんだ。さっさと教えろよ。どうせ、警察じゃお手上げだから私にアドバイスを求めに来たんだろ」

「いや、今回はアドバイスってわけじゃないんですが……」

　苦笑を浮かべた桜井は声を潜めた。

「先週、深夜に大泉学園の工事現場で女子大生が絞殺（こうさつ）された事件をご存じですか？」

「え？　『真夜中の絞殺魔』事件!?」僕は椅子（いす）から腰を浮かす。声が裏返ってしまった。

「世間ではそう呼ばれていますね。正式には『二十三区内連続女性絞殺事件』です」

「たしか、先週の女子大生で被害者は三人目だな。最初は三月十四日に北綾瀬で帰宅途中のＯＬが絞殺、続いて四月十九日に新小岩で主婦、そして先週の五月十一日に大泉学園で女子大生か」

　表情を硬くした鷹央がつぶやくと、三浦は目を丸くする。

「事件について調べていたんですか？」

「いや、ネット記事で一度読んだだけだぞ」

「でも、いま日付と現場と被害者について……」

「一度読んだんだから覚えていて当然だろ」

絶句する三浦の肩をたたきながら、「こういう方なんだよ」とつぶやいた桜井は、小さく咳払いをして話しはじめる。

「いま天久先生がおっしゃったとおりの事件です。この二ヶ月の間に若い女性が三人、深夜に人気のない場所に連れ込まれ、同じ手口で絞殺されています。詳しく調べても三人に接点がないことから、無差別に女性を狙った連続殺人だと考えられています」

「それでマスコミが『真夜中の絞殺魔』と名付け、大々的に報道をはじめたってわけか」

鷹央がつぶやくと、桜井は眉間にしわを寄せて頷いた。

『真夜中の絞殺魔』、その情報はあまりテレビなどは見ない僕にまで届いていた。殺人鬼を恐れて、都内では女性の夜間の外出が減るという現象まで起きている。それにニュースで聞いたところによると、たしか……。

「たしか、四年前にも似たような手口で三人の女性が殺されたとか……」

「……ええ、その通りです」桜井の眉間に刻まれたしわが、さらに深くなる。「四年前は東京だけでなく、埼玉でも被害者が出たので、『首都圏連続女性絞殺事件』と呼ばれ、大々的な捜査が行われました。私も特別捜査本部に加わって捜査に当たりましたが、……残念ながら未だに犯人は捕まっていません」

桜井は膝の上に置いた拳を強く握りしめる。

「四年前の事件でもたしか、四ヶ月あまりで三人が絞殺されたが、その後、急に事件が起こらなくなったんだよな。警察は今回の事件、同一犯の仕業だと思っているのか？」

鷹央はあごを撫でる。

「最初は同一犯とは考えませんでした。深夜の夜道で女性を襲い、人気のない場所で絞殺するという手口は似ています。また事前に防犯カメラの位置などを確かめているのか、まったく姿を捕らえられていない点、さらには犯行後に被害者の毛髪の一部を切って持って帰っている点も一致していました。ただ、犯行がかなり雑なんです」

「雑？　防犯カメラの位置とかを確認しているんでしょ？」僕は首を捻った。

「その点では、たしかに慎重です。けれど、事件現場の様子が全く違うんですよ。四年前はほとんど遺留物は見つかりませんでした。けれど、今年起きた事件では凶器であるロープなどがそのまま放置されています。それどころか、抵抗された際に出血したのか、少量の血痕が残っていましたが、犯人がそれを拭き取ろうとした形跡もない」

「それはなんというか、……雑ですね」

僕がつぶやくと、鷹央が椅子から腰を浮かした。

「いまお前が言ったことは、一般的な報道でも流されている程度の情報だ。わざわざ私のところに来たってことは、なにか世間には知られていない不可解なことが起こっているんだろ。もったいつけていないで、さっさと本題に入れよ」

鷹央は細かく体を揺すって催促する。

「これは失礼しました」桜井は軽く頭を下げた。「それでは本題に移らせていただきます。ここから先はまだ正式に発表されていないことなので……」

「内密にって言うんだろ。それくらい分かっているって。これまで何度、警察の捜査に協力してやったと思っているんだ」

鷹央は面倒くさそうに手を振る。桜井は「では」と表情を固めた。

「まず、四年前の事件と、今回の事件は同一犯だということが確認されました」

「なぜ、そう言い切れるんだ？」

「実は、四年前に起きた最後の絞殺事件の際、被害者の爪の間から、犯人の腕の皮膚と思われる組織が発見されているんです」

「四年前の事件では、ほとんど証拠がなかったんじゃなかったのか？」

「他の二件では、犯人は慎重に証拠隠滅を図っています。ただ三件目の事件の際は、悲鳴を聞きつけた通行人が、犯行現場である工場跡に入っていったんです。そのため、時間をかけて証拠を消す余裕がなかったものと思われます」

「……ＤＮＡか」鷹央がぼそりとつぶやく。

「その通りです」桜井が頷いた。「科捜研（かそうけん）で検査したところ、四年前に見つかった皮膚組織と、今年の三月の事件の現場に残っていた血痕のＤＮＡが同一人物のものということが分かりました。さらに、今年の四月と先週の事件でもロープに残された皮膚組織や血痕などから同じ男性のＤＮＡが検出されています」

「じゃあ、四年前と今年の事件は同一犯……」僕は低い声でつぶやく。

「はい、『真夜中の絞殺魔』はすでに六人の女性を殺害しているということです。我々はそのＤＮＡを最大の手がかりとして犯人を追っています」

「でも、ＤＮＡって容疑者が特定されたときに最後の決め手として使うものですよね。通り魔事件では被害者と犯人の間に関係はないから、まず容疑者を見つけるのが大変なんじゃないですか？」

僕が疑問を口にすると、鷹央が唇の片端を上げた。

「小鳥（ことり）、お前の言っていることは正しい。ただ、警察組織ほどのマンパワーがあれば、やりようはあるんだよ。しかも、今回の事件は今年だけで三人も被害者が出て、世間を震撼（しんかん）させている大事件だ。なりふり構っていられないはずだ」

「やりよう？」

「簡単だ。ローラー作戦だよ。通り魔と思われていた事件でも、実は犯人が被害者の一人と接点があったということは少なくない。だから、三人の被害者の周囲にいる男に任意でＤＮＡ検査を行うんだ、片っ端からな」

鷹央は桜井に向き直ると、「そうだろ？」と声をかける。桜井は重々しく頷いた。

「はい。犯人のＤＮＡが見つかってからというもの、私たちは被害者たちの関係者、犯行現場の周囲に住む男性、過去に女性の首を絞めるなどの犯罪を行った者などに任意でＤＮＡの提供を求めました」

「任意のＤＮＡ検査って、みんな応じてくれたんですか？　普通、嫌がりませんか？」

やましいことがなくても、自分のＤＮＡ情報を調べられることには抵抗があった。

「ほとんどの奴が応じるさ」鷹央は両手を広げる。「断ったら、『なにかやましいことでもあるんですか？　犯人じゃないなら、証明するために協力お願いします』とかなんとか言っただろうからな。任意といいながら、半ば強制なんだよ。な？」

鷹央に水を向けられた桜井は無言のまま頰を搔く。その沈黙は、鷹央の説明が正しいことを如実に物語っていた。

「で、それだけ大がかりな捜査をしても犯人につながる手がかりは見つからなかった。それに加え、なにか不思議な現象まで起こった。だから私の知恵を借りに来たんだろ」

「いえいえ天久先生、手がかりは見つかったんですよ」

「見つかった？」鷹央は目を見開く。「ＤＮＡが一致する男を見つけたってことか⁉」

鷹央の予想を裏切れたことが嬉(うれ)しいのか、笑みを浮かべつつ桜井は顔を横に振る。

「いえ、そうじゃありません。とても似たＤＮＡを持つ男性が見つかったんです。その男性は、一人目の被害者であるＯＬの会社をよく訪れている営業マンでした」

そんな遠い関係の男まで調べているのか。鷹央の言ったとおり、とてつもない人数にＤＮＡを提供させたのだろう。

「その男性のＤＮＡを調べたところ、犯人のＤＮＡと多くの類似点が見つかりました」

「それじゃあ、その人が犯人の可能性が高いということですか？」

類似点が多いという曖昧(あいまい)な表現が理解できず、僕は眉(まゆ)をひそめる。

「いえ、たしかに類似点は多いものの、犯人とは別人であるということでした」

「……血縁関係か」

鷹央がつぶやくと、桜井は我が意を得たりといった様子で両手を合わせた。

「正解です。専門機関で詳しく調べたところ、九十九パーセント以上の確率で、犯行現場に残されていたＤＮＡは、その男性の兄弟のものであるという結論が出ました」

「じゃあ、その人の兄弟が犯人ってことですよね。その人に兄弟はいるんでしょ？」

「ええ、年が離れた兄が一人だけいました」

「それなら、その男が犯人でしょ。その男を逮捕して、ＤＮＡ採取して確認すれば事件は解決じゃないですか。なんでわざわざここに来たんですか？」

「それが無理なんですよ」

「無理っていうと、どこかに逃亡しているっていうことですか？」

「逃亡……。ある意味そうですね。私たちではどうやっても手の出せない場所に」

桜井のまどろっこしい言い回しが癪に障る。

「海外にでも逃げているんですか？　はっきり言ってくださいよ」

「あの世ですよ」

桜井は猫背をさらに丸めると、声を潜めて言った。

「『真夜中の絞殺魔』と目されている男は、四年前に命を落としているんですよ。……この病院でね」

「死ん……でる……？」

喉からかすれ声が漏れる。桜井は「そうです」と頷くと、鷹央に向き直った。

「天久先生、春日広大という男性を覚えていませんか？」

鷹央の体がぴくりと震える。

「……もちろん覚えている。四年前の七月二十八日の午後十一時頃、うちの病院の救急部に搬送されてきた患者だ。搬送時に心肺停止状態で、三十分ほど蘇生術を施したが心拍が再開しなかったので死亡宣告をした。……私がな」

「え、四年前に一度診ただけの患者を覚えて……？」

驚きの声を上げる三浦の背中を、「だから、こういう方なんだってば」と桜井がたいた。僕はすぐそばのデスクに置かれた電子カルテを操作する。

患者検索の欄に『カスガ　コウダイ』と入力すると、一人だけヒットした。僕はマウスを操作し、その患者の電子カルテを液晶画面に表示させる。そこには、いま鷹央が説明した通りの記録が詳しく記載されていた。

春日広大、当時三十八歳。四年前の七月二十八日二十三時四分に自宅で心肺停止状態で発見されたと救急隊から連絡が入り、二十三時十三分に天医会総合病院救急部に搬送。心臓マッサージ、強心薬の投与、気管内挿管による人工呼吸などの蘇生処置が行われるが、心拍が再開することなく、二十三時四十七分に死亡が宣告されている。

処置の内容や使用された薬剤などが極めて詳しく記載されたカルテをスクロールしていくと、記載者の名が出てきた。『天久鷹央』と。

四年前といえば、鷹央はまだ研修医だったはずだ。きっと救急当直中にこの男が搬送されてきて、救急医とともに蘇生処置に当たったのだろう。

「この春日広大っていう男が『真夜中の絞殺魔』だって言うんじゃないでしょうね」

僕がディスプレイを指さすと、桜井は鼻の頭を掻いた。

「DNAから見るとその男以外に、犯人に当てはまる人物がいないんですよ」

「ほかに兄弟はいないんですか？　ちゃんと調べたんですか？」

「もちろん徹底的に調べましたが、くだんの営業マンの兄弟は春日広大だけでした」

「養子に出された兄弟とかは？」

「それも当然考えました。けれど、どれだけ調べてもそんな記録はありませんでした。その春日広大という男以外、犯人のDNAを持ちうる人物はいないんですよ」

「でも、この男は四年も前に死んでいるんでしょ」

僕がこめかみを押さえると、桜井は「それですよ」と身を乗り出した。

「天久先生、春日広大の死亡診断書を調べたところ、診断した医師の欄にあなたの名前がありました。ですから、あなたと顔見知りである私がこうして伺ったんです」

言葉を切った桜井は、鷹央の目を覗き込む。

「天久先生、春日広大は本当に死亡していましたか？」

桜井の視線を受け止めた鷹央は、薄紅色の唇を開いた。

「なるほど……、お前は私の知恵を借りに来たわけじゃなく、四年前の私の診断が間違っていなかったか確認しに来たっていうわけか」

「ええ、その通りです」

「……あのとき、私は研修医として救急部で研修を受けていた。春日広大の治療には私と指導医、そして同僚研修医の三人で当たった。私は主に薬剤の投与や、人工呼吸器の設定を行った」

鷹央はゆっくりと目を閉じる。きっとスーパーコンピューターのような彼女の脳は、瞼（まぶた）の裏に四年前の光景を正確に映し出しているのだろう。

「蘇生開始から三十分ほど過ぎた頃、指導医がこれ以上の処置は意味がないと判断し、心臓マッサージを中止した。同僚の研修医がそのことを家族に告げると、母親はパニック状態で叫びだしたが弟は比較的冷静に蘇生中止に同意してくれた。そして指導医の指示で、私が死亡確認をすることになったんだ」

「死亡確認とは具体的に何をしたんですか？」

「手順通りの方法だ。まず、ペンライトの光を目に当て、瞳孔（どうこう）の対光反射が消失していることを確認した。その後、人工呼吸器を止め、聴診器で心拍と呼吸の停止を確認した。以上より死亡したと診断し、二十三時四十七分に私が死亡を宣告したんだ」

鷹央はゆっくりと瞼を上げた。

「天久先生、それは間違いありませんか？　本当に春日広大は死亡していましたか？」

「私がまだ生きている患者に死亡宣告をしたっていうのか？」

鷹央の目付きが鋭くなる。

「天久先生がそんな診断ミスを犯すとは、私は思っていませんよ。あくまで私はね。けれど、捜査本部を指揮している管理官が、確認してくるようにってうるさいんですよ。下っ端の私は命令されてしかたなく、こうして参ったというわけです」

桜井は媚びるような笑みを浮かべるが、その目だけは全く笑っていなかった。

「それで天久先生、恐縮ですがお答えいただけますか。春日広大が実は生きていたという可能性はありませんでしょうか？」

「あり得ない！」鷹央ははっきりと言い放つ。

「分かりました。それでは次の質問です。春日広大の死亡診断書には虚血性心疾患で死亡したと書かれていますが、それは間違いないのですか？」

「……春日広大はⅠ型糖尿病でうちの病院に長い間かかっていた」鷹央の表情が渋くなった。

「Ⅰ型？　糖尿病に種類があるんですか？」三浦が聞き返す。

「Ⅰ型とⅡ型があり、糖尿病の九十九パーセントはⅡ型だ。長年の高カロリー食や運動不足が原因で、膵臓から分泌される血糖値を下げるホルモンであるインスリンが大量に放出され続け、やがては疲弊した膵臓はインスリンを十分には分泌できなくなる。

そうなると、血糖値を一定に保てなくなり高血糖状態になる。代表的な生活習慣病だな」

「なるほど、それがⅡ型なら、Ⅰ型というのは？」

「Ⅰ型は自己免疫（めんえき）疾患の一種だな。何らかの理由でインスリンを分泌する膵臓のランゲルハンス島β細胞に対する自己抗体が体内で生成されてしまうんだ。その結果、β細胞が破壊されインスリンがほとんど分泌できなくなり、高血糖となる。分泌量がある程度は保たれているⅡ型より重篤（じゅうとく）で、生涯インスリンを注射により体外から取り入れていくことが必要になる。主に小児に発症する難病だ」

「その病気と、虚血性心疾患という死因にはどういう関係があるんですか？」

桜井が頷きながら訊（たず）ねる。

「春日広大は本人の病識が薄く、インスリン注射や食事制限がかなりルーズだったため、血糖のコントロールが不良だった。高血糖状態は全身の血管にダメージを与える。さらに春日広大は高血圧や高脂血症も合併していたため、わずか三十五歳にして心臓の冠動脈が狭窄（きょうさく）して狭心症を起こし、ＰＴＣＡを行っていた」

「ＰＴＣＡ？」

「経皮的冠動脈形成術のことです」僕は補足する。「大腿（だいたい）動脈から心臓までカテーテルを伸ばし、冠動脈の狭窄部位で風船を膨らませることで狭窄を解除して、その上でステントを留置する治療ですね」

「風船で……。それはなんともすごい治療ですね」

桜井がひねりのない感想を述べると、鷹央が説明を再開した。

「PTCAを受けた患者は、冠動脈の再狭窄や閉塞(へいそく)を防ぐために抗血小板薬を服用したうえ、投薬によりコレステロールも低下させる必要がある。しかし、春日広大はそれらの薬の服用を怠りがちだった。搬送されてきた日の午前中に、春日広大はうちの病院の内科外来を受診し、ときどき胸痛があると訴えていた。主治医は精密検査を勧めたが、本人に面倒だと強く拒否された。そのような経過があったため、春日広大は深夜に冠動脈が閉塞し、心筋虚血に陥って死亡したと推測したんだ」

「推測ということは、断定できるわけではないんですね」桜井の目がすっと細くなる。

「断定するには病理解剖が必要となる。もちろん、私たちも解剖を提案したが、母親に断られた。そのため、最も可能性が高い死因を書くしかなかった」

臨床現場でははっきりとは死因が断定できないことも少なくはない。その場合は、患者の病歴などから死因を推測するしかなかった。解剖を行えば死因が判明することも多いのだが、遺族の大部分がそれを拒否する。遺族の許可がなくとも解剖を行える司法解剖という制度もあるが、それは明らかな犯罪の痕跡があった場合だ。

「なるほど、死因については承知しました。ちなみに、死亡宣告を受けたあと春日広大はどこに運ばれて行ったんですか？」

「おそらく救急部のベッドに少し置かれたあと、地下の霊安室に送られ、最終的には葬儀会社によって親族の家などに運ばれて行ったはずだ」

「おそらくということは、先生はそれを見てはいないということですか」

「……ああ、そうだ。あの日は死亡診断書を書き終わってすぐに、食道静脈瘤の破裂による吐血患者が運ばれてきて、二時間ほど内視鏡治療につきっきりになっていた。それを終えて戻ってきたら、すでに遺体は病院から運び出されていた」

「死亡宣告をしたあと、先生は春日広大がどうなったのか確認できていないと」

含みのある口調でつぶやく桜井に、僕は思わず「待ってください」と声をかける。

「その春日広大って男が、実は死んでいなかったんじゃないかって疑っているみたいですけど、それよりも先に検討することがあるんじゃないですか」

「先に検討することとは？」

「例えば……、ＤＮＡ検査の結果が間違っていたとか」

「検査は科捜研および民間機関三社に依頼して行われました。その全てで、犯人はその営業マンと兄弟であると結論が下されています」

「その営業マンの両親のどちらかに隠し子がいるとか……」

「検査結果では、営業マンと犯人は同一の両親の子供だと証明されています」

「現場に残されていた皮膚とか血液は、四年以上前に採取して、保管されていたものだったなら……」

「いえ、長期間保管されたような劣化はないことは確認されています」

「え、えっと……。実は里子に出された他の兄弟が……」

「それはさっき答えたでしょ。記録上はそんな人物は存在しません」

僕が思いついた仮説を桜井はことごとく潰していく。

「じゃあ、警察は本気で鷹央先生が死亡確認した患者が生きていて、今年に入って女性を三人も殺していると思っているんですか？」

思わず声が高くなる。桜井は無精髭の生えたあごを撫でた。

「捜査本部はその可能性も高いとふんでいます。時系列的な状況を見て」

「時系列的な状況？」

「四年前の首都圏連続女性絞殺事件では、最後の犠牲者が出たのは七月二十六日です」

「それって、春日って男が搬送される二日前……」

無意識につぶやくと、桜井は大きく頷いた。

「そうです、春日広大がこちらの病院で死亡宣告されて以来、同じ手口の絞殺事件は起こっていませんでした。四年前、春日は死亡宣告を受けたあと息を吹き返し、一命を取り留めた。しかし、その後遺症で犯行を行えなくなっていたが、四年経って回復し、再び女性を殺しはじめた。我々はそのような仮説を立てています」

「でも鷹央先生が死亡を確認しているんですよ。そんなことあり得ません」

水掛け論になると理解しつつも、そう主張せずにはいられなかった。

この病院に来てから、僕は鷹央の超人的な診断能力を目の当たりにしてきた。鷹央が死亡確認などという初歩的な診断を間違えるはずがない。

「実際にその男のものと思われる皮膚や血液のサンプルが現場で採取されているんです。生きた細胞のサンプルが。それでも春日広大が四年前に死んでいると？」

言葉につまる僕の前で、桜井は皮肉っぽく唇を歪めた。

「または、四年間死んでいたのに生き返ったとでも言うんですか？」

2

翌日、金曜日の午後六時、僕は救急業務にいそしんでいた。金曜日は（鷹央の命令で）猫の手も借りたいほど忙しい救急部に、『レンタル猫の手』として貸し出されている。そのため、朝から次々に搬送されてくる救急患者の治療に当たっているのだ。

「お疲れ様でーす」

テンションの高い挨拶とともに、若い医師が扉を開けて入ってくる。今日の夜勤に当たっている陣内という名の救急医だった。

「どうも小鳥遊先生、お疲れ様です。引き継ぎの患者はいますか？」

金曜の救急部勤務に加え、週に一度は救急当直まで引き受けているので、救急部のドクターたちとはかなり親しくなっている。

「いや、引き継ぎはないよ」

数分前に急性胆嚢炎の患者を外科に引き渡したので、救急部に患者はいなかった。

「そうっスか、了解です。いやあ、こんな時間に患者がいないなんて幸先いいな」

「早い時間に患者が少ないと、夜が忙しくなるってジンクス、知らないの？」

「やだなあ、小鳥遊先生、脅かさないでくださいよ」

陣内は笑いながら後頭部に手をやる。学年的には僕の方が上なので、いつも体育会系の後輩といったノリで話してくる。

「あれ、それはなんですか？」陣内は僕の足元に置かれた紙袋を指さした。

「ああ、これか……」

僕は肩を落として紙袋に視線をやる。その中には、本格的な手錠や猿ぐつわ、さらには棘の付いたやけに頑丈そうな首輪まで入っていた。二時間ほど前、不倫相手の家でＳＭプレイ中に心筋梗塞を起こした中年男が運ばれてきて、僕が担当することになった（ちなみに、男の方がそれらを身につけていた）。搬送してきた救急隊員は「私物ですので」と救急車内で外したSM器具を押しつけてきたのだ。

初期治療を終えたあと、すぐに循環器内科医によるカテーテル治療が行われることになったのだが、カテーテル室に運ばれる際、患者が「妻に見つからないように、俺が付けてきた物は始末しておいてくれ」と懇願してきた。仕方がないので看護師に、「かたづけておいてくれる？」と頼んだところ、「そんな気持ち悪い物、どうやって捨てていいか分かりません。先生が処分してください」とあえなく断られてしまった。

僕がそのことを説明すると、陣内の顔に同情の色が浮かぶ。

「お疲れ様でした。後は自分が引き受けますので、上がっていただいて結構っスよ」

「それじゃあ、よろしく」

出口に向かいかけた僕は、あることを思い出して足を止める。

「陣内君、ちょっといいかな？」

声をひそめて手招きすると、陣内は背中を丸めて近づいてきた。

「なんスか？　なにか内緒話ですか？」

「内緒話ってほどのことじゃないんだけど、この患者のカルテを見てくれるかな」

僕は電子カルテを操作して、ディスプレイに診療記録を表示させる。

「春日広大？」画面をのぞき込んだ陣内が眉根を寄せる。

「そう、この患者のこと覚えていないかな」

さっき患者が途切れたとき、なんとなしに春日広大のカルテを見ていると、鷹央とともに治療に当たった同僚研修医というのが陣内だったという記載を発見したのだ。

「うーん、四年前に搬送されて死亡した患者ですか。たしかに俺も治療に参加しているみたいですけど、さすがにそんな前のことは覚えていないですね」

「そうだよな。悪いね、おかしなことを訊いて」

「この患者がどうかしたんスか？」

「いや、たいしたことじゃないんだ。鷹央先生も一緒に治療に当たっていたらしくて、そのときの状況を知りたいっていう人がいて……」

僕が適当に誤魔化すと、陣内は「天久が？」と言って画面をスクロールしていく。

「ああ、本当だ。このカルテを記入したの天久だ。どうりでめちゃくちゃ詳しく書かれていると思った」

「陣内君は鷹央先生と、研修医の頃、同期だったんだよね」

「ええ、そうですよ。そういえば小鳥遊先生って、統括診断部で天久の下についているんですよね。いやあ、すごいです。なかなかできることじゃありませんよ」

「べつに僕は年下の人が上司でも、あまり気にならないけれど。なんといっても内科を学ばせてもらっている立場だからね」

「いや、そういうことじゃなくて、あいつと一緒に働けること自体がすごいんスよ」

「……やっぱり研修医時代、けっこうトラブルを起こしたの？」

「そりゃもう、色々と。あいつ、基本的に団体行動は全くできないし、患者に対して敬語も使えないじゃないですか。それに、めちゃくちゃ不器用で注射一本まともにできない。けれど、その一方で知識量はあらゆる分野で飛び抜けている。しかも、診断や治療方針が少しでも間違っていたら、どんなに立場が上のドクターにも歯に衣着せず指摘する。プライドずたずたにされた指導医も少なくないですよ」

その光景がありありと目に浮かび、僕は頬を引きつらせる。

「そういうわけで、あいつのことを煙たがるドクターは多かったですね。同僚の研修医たちの間でも、正直あまり評判はよくなかったです。診療記録とか処方の不備について細かく指摘してきますからね」

「鷹央先生に悪気はないんだよ。あの人は、指摘された相手がどう思うかってことが分からないだけなんだ。よかれと思ってやっているんだよ」

統括診断部でともに働いてきた僕にはそのことが分かる。

「おっ、さすがに付き合いが長いだけありますね。なんか、『理解者』って感じっスね」

「……理解するまで、かなりかかったけどね」

「けれど俺、実は天久が上級医の治療方針にクレームつけてるの、ちょっと好きだったんですよね。いつも偉そうにしてるドクターが天久の指摘にぐうの音も出なくなっているの見ると、すかっとするというか。それに、天久の言っていることって正論で、明らかに患者のためになるんですよ。だから、指摘に感謝しているドクターもいましたよ。小児科の熊川（くまかわ）先生とか」

陣内の評価が、なぜか嬉しかった。口元を緩める僕の前で、陣内は「ただ……」と付け足した。

「俺が天久を見て楽しめたのって、ある程度距離を保ってあいつの行動を見られたからなんっスよね。彼女と同じ科で、しかも部下として一緒に働くことなんて想像するだけで、正直恐ろしいというか……」

「その想像は間違っていないよ」僕は重々しく頷く。脳内にこの十ヶ月の苦労が走馬灯のように蘇（よみがえ）っていき、気持ちが沈んでいく。

「い、いや、俺が言いたいのはですね。天久とそこまでしっかりした関係を築ける小鳥遊先生がすごいなぁってことで」

よっぽど僕が暗い表情になったのか、陣内が慌（あわ）ててフォローしてきた。

「まさか天久に彼氏ができるなんて想像できませんでしたよ。あいつ、男にまったく興味なさそうでしたから。けれど、小鳥遊先生なら納得というか、いいカップル……」

「ちょっと待て！」僕は勢いよく顔を上げ、陣内に詰め寄る。「なんの話だよ？」

「え？　小鳥遊先生、天久と付き合っているんでしょ。あいつの彼氏なんて、尻に敷かれて大変そうだけど、小鳥遊先生ならそれも受け入れ……」

「違う！」

「え？　違うんスか？　みんなそう思っていますけど」

「みんなって誰⁉」

「みんなといえばみんなですよ。院内の大部分が二人はカップルだと思っていますよ」

めまいをおぼえた僕は、二、三歩あとずさると、顔を伏せる。

「あ、あの、小鳥遊先生……、大丈夫ですか」

「……鴻ノ池か」

「え、なんですか？」陣内の顔に怯えが走った。

「その噂、研修医の鴻ノ池舞から聞いた。そうじゃないか？」

「あー、たしかに鴻ノ池ちゃんが言っていたような」

「あいつ……今度本気でしめる……」

僕が低く籠もった声でつぶやくと、陣内は引きつった笑みを浮かべながら再び電子カルテに視線を向け、「あっ！」と画面を指さした。

「この患者のこと、思い出しました」

「……本当に？」

「本当です本当です。俺、天久と一緒に患者を治療したことってほとんどないんですよ。だから、覚えていました。心肺停止で搬送されたI型糖尿病の男ですよね。救急の指導医と俺と天久の三人で治療に当たりましたけど、搬送時に心肺停止状態で蘇生術にも反応しないんで死亡宣告したはずです」

「救急の指導医っていうのは誰のこと？」

念のため、その指導医からも話を聞きたかった。

「小鳥遊先生は知らない人ですよ。大学からの派遣で来ていましたけど、二年前に大学病院に戻っちゃいましたから。山田(やまだ)先生っていう四十前後のドクターでした」

「いまその人に連絡をとれたりしないかな？」

「連絡ですか、俺の出身大学じゃないんでちょっと難しいかもしれません」

「そっか、無理言ってごめんな。ちなみにこの患者の治療中、なにか変わったことはなかった？」

「変わったこと？　特になかったと思いますけど」

「それじゃあ、死亡したあとには？」

頭の中で「本当に春日広大は死亡していましたか？」という桜井の言葉が蘇る。

「死亡したあとですか……？」

腕を組んだ陣内は、十数秒後に「あっ」と声を上げると、顔をしかめた。

「ありました。特別ってわけじゃないけれど、面倒なことが」

「面倒なこと？」

「この患者が亡くなったとき、俺が遺族に説明をすることになったんですよ。天久に説明させるとなに言い出すか分からないから」

「まあ、妥当な判断だね」

「で、母親と弟に手は尽くしたが救命できなかったって告げたんです。そしたら、母親が『あの子が死ぬわけがない！』って叫びだして、パニックになったんですよね」

「息子が死んだんだ。そういうこともあるだろ」

「普通じゃなかったのはその後なんですよ。患者が亡くなったら通常、葬儀社に紹介して遺体を引き取ってもらうじゃないですか。弟は比較的落ち着いていて、近くの葬儀社を手配して欲しいって言ってきたんですよ。そうしたら母親が『葬儀社なんてとんでもない』って騒ぎ出したんです」

「葬儀社に頼まないなら、どうするんだよ？」

「なんかですね、その母親はなんというか、霊能療法を行う教団に入っていたらしく、そこの人たちを呼ぶって譲らなかったんです」

「霊能療法……」この病院に赴任してからというもの、新興宗教やら自称霊能力者に絡む事件を何度も経験している僕は、思わず顔をしかめてしまう。

「それで、母親と弟が派手な口喧嘩をしだして。居心地悪いのなんのって」

「結局どうなったの？」

「最終的には母親の意見が通りました。その教団の関係者がやってきて遺体を引き取っていきましたよ」

「なんでそこまで葬儀社に拒否反応を示したんだろうな。最近は、どこの葬儀社も各々の希望に合わせた葬儀を行ってくれるだろ」

「それが、葬儀を行わないって言い出したんですよね。息子は死んでいないってね」

「死んでいない？」

僕が聞き返すと、陣内は苦笑を浮かべた。

「どうやらその教団では、一度死んでも、儀式かなにかで生き返ることができるっていう教えらしいんスよ」

救急部をあとにした僕は、屋上へと向かう。僕のデスクは屋上に建てられた小さなプレハブ小屋にあるので、帰る前にそこで着替えなくてはならないのだ。

階段を上がり重い扉を開くと、夏の気配を感じさせる生暖かい風が吹き込んできた。目の前に赤いレンガ造りの〝家〟が現れる。鷹央が理事長の娘という立場をめいっぱい使って屋上に建てた自宅兼、統括診断部の医局。外見こそ西洋の童話にでも出てきそうなファンシーな雰囲気を醸(かも)し出しているが、その室内は常に薄暗く、しかもありとあらゆる場所に鷹央の蔵書が積み上げられた〝本の樹(き)〟が生えていて、不気味な様相を呈している。〝家〟を横目に見ながら、その裏手のプレハブ小屋へと辿(たど)り着いた僕は、ＳＭグッズが入った紙袋をデスクのそばに放る。

「これ、どうすればいいんだよ。燃えないゴミでいいのかな？」

湿度と温度の高い室内の空気に辟易(へきえき)しながら、僕は頭を掻く。リモコンで電源を入れると、エアコンがガタガタと不穏な音を立てながら、かび臭い風を吐きだしはじめた。火照(ほて)った顔に冷風を浴びながら、僕は窓の外に建つ鷹央の〝家〟を眺める。カーテンの隙間(すきま)から、淡い光が漏れ出していた。

昨日は桜井たちが帰ったあと、鷹央は腕を組んで黙り込んだまま、〝家〟へと帰って行った。それから、なにか思いついたりしたのだろうか。

さっき陣内から聞いた話を伝えに行こうかな。一瞬、そんな考えが頭をかすめるが、すぐに思い直す。今回の事件は連続殺人だ。首を突っこむべきじゃない。

救急部のユニフォームを脱ぎ私服に着替えた僕は、椅子に腰掛けるとデスクに置かれている電子カルテの電源を入れ、春日広大のカルテを画面に表示させた。

なぜかまだ帰宅する気にはなれなかった。

――儀式かなにかで生き返ることができるっていう教えらしいんスよ。

さっき陣内から聞いた情報が耳に蘇る。

死者の復活を説く教団と、四年前に死んだはずの男による殺人事件。なにやらきな臭くなってきた。陣内から聞いた話を教えたら、間違いなく鷹央は事件を調べようとするだろう。このような不可思議な事件は、鷹央の大好物だ。しかも、今回は自分の診断を疑われているのだ。何が何でも真相を暴（あば）こうとするはずだ。

やっぱり、あの人に余計な情報を与えない方がいい。そう判断した僕は、電子カルテの電源を落とそうとする。しかし、手が動かなかった。視線がディスプレイに表示されている、春日広大の家族の連絡先に吸いつけられてしまう。

ここに連絡して、話を聞きたい。そんな衝動が胸に湧（わ）きあがっていた。

かかわるべきじゃないと思っているのに、なんで？　自問すると、すぐに答えは出た。

「……鷹央先生の診断が疑われているからか」独白が口から零（こぼ）れる。

この病院に派遣されてきてから、鷹央とともに様々な症例を診察し、そして様々な事件を解決してきた。その中で、鷹央の膨大な医学知識と超人的な知能に裏付けされた診断力を目の当たりにすることになった。それは外科を辞め、内科医を志している僕を魅了した。

彼女の実力に少しでも近づき、そして原因不明の病で苦しむ人たちを救いたい。（調子に乗るので絶対にあの人の前では口に出さないが）それが僕の密かな目標なのだ。その診断力に疑いの目が向けられている。そのことが辛かった。

心を決めた僕は電話の受話器を取ると、画面に表示されている番号を打ち込んでいく。

この春日広大という男が間違いなく亡くなっていると家族に確認する、それだけだ。自分に言い訳しつつ番号を打ち込み終えた僕は、緊張しながら受話器を耳に当てる。

『おかけになった電話番号は現在使われておりません。番号をお確かめ……』

自動音声が聞こえてくる。緊張が解けた僕は苦笑しながら受話器を戻した。四年も前の記録だ、連絡先が変わっていても不思議じゃない。

これ以上できることはない。やっぱりこの件は警察に任せよう。

「さて帰るか」

僕は電子カルテとエアコンの電源を落とすと、出口へと向かう。ノブに手を伸ばしたとき、扉が外に向かって開いていった。手が空を切り、大きくバランスを崩した僕は思わず倒れて四つん這いになってしまう。

「なにやってんだ、お前？」

呆(あき)れ声が降ってくる。顔を上げると、扉を開いた鷹央が僕を見下ろしていた。

「鷹央先生？　どうしたんですか？」

「いや、ちょっとお前に頼みたいことが……」

鷹央は突然言葉を切り、猫を彷彿させる目を大きく見開く。どうしたのかと、彼女の視線を追った僕の体が硬直する。そこにはＳＭ用具の入った紙袋が置かれていた。

鷹央は口を半開きにして数秒固まると、無言のまま回れ右をして去ろうとする。

「違うんです！」僕はとっさに鷹央の手首を握った。

「べつにお前がどんな性癖を持っていても私は気にしないぞ。他人に迷惑をかけない限り、それは個人の自由だからな。だから、見て見ぬふりをだな……」

「違うんですってば。話を聞いてください！」

「いや、わざわざ話す必要はない。カミングアウトされても、どう反応していいのか分からないから。ただ、職場にそういう道具を持ってくるのはあまり感心しないぞ」

「お願いだから、話を聞いてください！」

僕が懇願すると、鷹央の顔に怯えが走る。

「まさかお前、その道具を私に使う気じゃ……」

「そんな恐ろしいこと、できるわけないじゃないですか！」

僕は半泣きになりながら、必死に事情を説明する。ようやく納得してくれた鷹央は、「そういうことは早く言えよ」と部屋の中に入ってきた。

「それで、なんの用だったんですか？」

僕はSM用具を机の抽斗(ひきだし)の奥にしまい込みながら訊ねる。心なしか、鷹央が僕から距離をとっている気がするが、おそらく気のせいだろう。

「〇九〇八二三……」鷹央は唐突に意味の分からない数字の羅列を口にした。

「なんですか、いまの数字は？」

「携帯電話の番号だよ。春日章介(しょうすけ)の」

「春日章介？」はじめて聞く名に、僕は聞き返す。

「春日広大の弟だ。四年前の七月二十八日、母親とともに病院に駆けつけた。昨日、桜井が言っていたDNAを採取された営業マンだな。さっき、電話が通じなかったんだろ。今度はそっちの方に電話をかけてみてくれ」

「え？　なんでその人の携帯番号を？　カルテには載っていませんでしたよ。そもそも鷹央先生、なんで僕が電話かけたことを？」

「お前が春日広大のカルテを見ながら、家族の連絡先に電話しているのがカーテンの隙間から見えたんだよ」

「……覗いていたんですか？」

「偶然見えただけだ。お前みたいなむさい男、なんで覗かなきゃいけないんだ」

「むさい男で悪かったですね」

しかし、十メートルも離れていないとはいえ、僕が誰のカルテを開いているか見えるなんて。この人の視力、本当に常人離れしているな。

「電話番号については、四年前に名刺を見たんだ。そこに書かれていた」

「四年前にもらった名刺をまだ持っていたんですか？」

「そこに書かれていた内容を覚えていたんだ。名刺は陣内がもらって、私はそれをちらっと見ただけだ」

四年前に見た名刺に書かれていた番号をいまだに覚えているのか。桁外れの記憶力に唖然としていると、鷹央は抑揚のない声で話しはじめた。

「昨日、桜井から話をきいたあと、私は何度も四年前の記憶を『見返し』た」

鷹央には映像記憶と呼ばれる、過去に見た光景を映画を見るように、映像として頭の中で見返す能力がある。それで四年前の出来事を確認していたのだろう。

「どうでしたか？」

「何度見ても、間違いなく春日広大は死亡していた。瞳孔は両目とも完全に散大し、呼吸と心拍も停止していた。それなのに、春日広大のものとしか考えられないＤＮＡが先週の殺人現場から発見された。……まるで、死人が復活したかのようにな」

「そんなことあり得ないですよね」

「あり得なくても、それが現実だ。それなら、実際に何が起こっているのか明らかにするべきだ。そのために、家族に話を聞く必要がある。死者の復活をうたう教団が絡んでいるとなればなおさらな」

「なんでそのことを!?」

「なんでって、ほんの数分前に陣内から内線で連絡があったんだよ。お前が春日広大についてやけに詳しく訊いてきたけど、なにかあったのかってな。あいつがお前に説明したことは全部聞いた」

鷹央は僕を睨め上げる。

「小鳥、まさかお前、そのことを私に黙っておくつもりだったんじゃないだろうな?」

「いや、そんなわけないじゃないですか。ちゃんと説明しようと思っていましたよ」

声をうわずらせると、鷹央は疑わしげに目を細める。

「……まあいい。それより早く、春日広大の弟に連絡を取ってくれ」

「あの、鷹央先生はもっと前から、その弟さんの電話番号を思い出していたんですよね。なんで自分で連絡しないで、僕が来るのを待っていたんですか」

まあ、この人が連絡したら色々とこじれそうだけど。

「私が連絡すると色々とこじれそうだからな」

心の中を読まれたかのような答えに、僕は「え?」と聞き返す。鷹央は大きくかぶりを振った。

「相手の反応を窺(うかが)いながら、うまく交渉するっていう能力が私には欠けている。私が電話したら、相手の気分を害して協力を得られないかも知れない。その点、お前はそういう交渉ごとは得意だろ」

「はあ……、まあそれなりに」

「この十ヶ月の経験上、私が直接連絡するより、お前に任せる方が遺族から情報を得られる可能性が高いと判断しただけだ」

胸にこみ上げるものをおぼえ、僕は言葉が出なくなる。出会った頃だったら、間違いなく鷹央は自ら連絡をとっていた。それなのに今回は僕の交渉能力を信頼し、任せようとしてくれている。

「なに黙り込んでいるんだよ。さっさと連絡しろって」

「はい、喜んで!」

「居酒屋の店員かよ。いいか、番号もう一度言うぞ。〇九〇の……」

僕は慌てて電話の受話器を取ると、鷹央が口にする番号を打ち込んでいく。僕が受話器を顔の横に当てると、鷹央が近づいてきて背伸びをする。聴覚も人並み外れている鷹央には、これで相手の声も十分に聞き取ることができるのだ。

呼び出し音が数回響き、そして回線がつながった。若い男の声が聞こえてくる。

『はい、辻ですが』

辻？　春日じゃ？

「あの、失礼ですがこちらは春日章介さんの携帯番号では……」

『はい、そうです。ただ、二年前に結婚して名字が変わったもので』

なるほど、婿養子に入ったということか。僕が納得していると、辻と名乗った男は

『それで、どちら様でしょうか？』と訊ねてくる。

「失礼しました。私、天医会総合病院統括診断部の医師で、小鳥遊優と申します」

『天医会……。兄が亡くなった病院ですよね。もしかして、兄の件でしょうか？』

辻の声に明らかな警戒が混じる。

「はい、実はお兄様について少し伺いたいことがありまして」

『……「真夜中の絞殺魔」と関係ありますか？』

いきなり図星を突かれ、僕は言葉に詰まる。

『やっぱりそうなんですね。その件ではすごく迷惑しているんです。ＤＮＡで犯人が兄だと判明したとか、わけの分からないことを警察に言われて。兄は四年も前にそちらの病院で死んでいるんですよ。いま人を殺せるわけがないじゃないですか』

「その通りなんですが……、お兄様が亡くなった際のことについてちょっとお話をう

かがいたくてですね」

『それなら、そちらの病院の医者に聞けばいいじゃないですか。兄の死亡を確認したのは、そちらの先生なんですよ』辻の声に苛立ちが滲みはじめる。

「あの、できれば亡くなったあとと申しますか。お兄様の御遺体を運ばれた際のことか、葬儀についてなどのお話を……」

『もしかして、あなたも警察と同じように、兄が死んでいなかったかもしれないって言うつもりですか？　死亡確認したのはそちらなのに？』

　あまりにももっともな糾弾に、反論の言葉が見つからなかった。

『そもそも、なんで医者が話を聞きたがるんですか？　まさか四年前のことを調べるつもりじゃないですよね』

　そうだ、などとはとても言える雰囲気ではない。僕が「いえ、それは……」と言い淀んでいると、突然鷹央が電話機に手を伸ばしスピーカーモードにした。

「ちょっと⁉　鷹央先生、なにを……？」

「もちろん調べるつもりだ。そのためにお前の協力が必要なんだ」

　声を張り上げる鷹央のそばで、僕は立ち尽くす。

『どなたですか？』辻が訝しげに訊ねてくる。

「私は天久鷹央、お前の兄の春日広大の死亡確認をした医師だ」

『……そのお医者さんがなんの用です？』

「私は四年前、お前の兄、春日広大が死亡したのを確認した。それなのに、最近の連続絞殺事件の現場に春日広大のものと思われるＤＮＡが発見されている。それがどういうことか解明したいんだ」

『あなたは医者なんでしょ？　なんで警察じゃなくて医者がそんなことを？』

「警察なんかより、私の方が遥（はる）かに優秀だからだ。だから、お前も真相が知りたければ私に協力しろ。まず、遺体を運んでから葬儀までの……」

『いい加減にしてくれ！』

電話機から響いた怒声が鷹央の声を掻き消す。音に敏感な鷹央の体が大きく震えた。

『兄貴が生きているなんて、絶対にありえない。あいつは四年前に死んだんだ。もう俺は兄貴のことも両親のことも忘れて、平穏な生活を送っているんだ。もうあの一家にかかわるのはごめんなんだよ！』

「すでに三人の女が殺されているんだぞ。四年前も同一犯だとしたら六人だ」

電話機からかすかに息を呑（の）む音が聞こえる。

『……そんなこと俺には関係ない。兄貴は絶対に死んでいるんだから』

「それならなおさら私に協力しろ。私なら事件の真相を解明することができる。お前の兄が本当にかかわっていないなら、それを証明してやる」

身を乗り出して鷹央は説得する。答えは返ってこないが、スマートフォンからは逡巡している気配が伝わってきた。

「これ以上、被害者を出さないために、事件の真相究明が必要だ。それにはお前から話を聞く必要があるんだよ」

追い打ちをかけるように鷹央が言った瞬間、回線は遮断された。ツーツーという気の抜けた電子音が狭い部屋に虚しく響き渡る。

「なっ？　切りやがった！」

「……ええ、切られちゃいましたね」僕は白けた口調で言う。

「なんで切るんだ。事件の真相を知りたくないのか、あの男は？」

「急に電話してきて、いきなり責めるようにまくしたてられたら、当然ですよ」

「……なんだよ、私が悪いっていうのか？」鷹央は不満げに唇を尖らせる。

「相手との交渉事が苦手だから、僕に任せたんでしょ。それなのに急に横から口を出してきてめちゃくちゃにするなんて」

さっきの感動を返してくれ。

「なに言っているんだ。信頼して任せたのにぐだぐだになったからだろ」

「ぐだぐだってなんですか。僕はちゃんと相手の気持ちを察してですね……」

「それじゃあ、お前はあのままで辻って男から話を聞き出せたっていうのか？」

一瞬言葉に詰まると、鷹央は得意げに鼻を鳴らした。

「ほらみろ。だから仕方なく私が横から助け船を出したんだ」

「全然助け船になっていないじゃないですか、そんな泥船。相手を怒らすだけ怒らして、一方的に電話を切られたくせに」

僕と鷹央は額が付きそうな距離で睨み合う。そのとき、机の上に置いた院内携帯が着信音を鳴らしはじめた。僕は鷹央と睨み合ったまま着信ボタンを押す。

「統括診断部の小鳥遊です」

『交換台です。外線で着信が入っていますので、回してもよろしいでしょうか？』

「外線で僕に？　誰からですか？」

『いえ、統括診断部のドクターにということです。辻様という方からの着信です』

僕は「辻⁉」と声を上げる。鷹央が不思議そうに目をしばたたかせた。

『あ、あの、その方がなにか？　お繋ぎしない方がよろしいでしょうか？』

「いえ、ぜひ繋いでください！　すぐに！」

『はぁ、承知いたしました』回線が切り替わる音が響いた。

「辻さんですか？」

僕は両手で受話器を持ちながら前のめりに言う。鷹央が再び耳を向けてきた。

『はい、そうです。先ほどの先生ですよね。たしかお名前は……』

「小鳥遊です。先ほどは申し訳ありません。気分を害されましたよね」

隣に立つ鷹央に当てつけるように僕は言う。鷹央の頬が膨らんだ。

『というか、いきなりで少し驚いたというのが正直なところです。それで、思わず電話を切ってしまいました。すみません』

「気になさらないでください。それで、電話をしてくださったということは……」

『先日、兄が生きていて、連続絞殺事件の犯人かもしれないと突然警察に聞かされてから、ずっと混乱しているんです。兄は間違いなく四年前に死んだはずです。それなのに、最近の事件の犯人だなんて……。なにがなんだか分からなくて苦しいんです。もしも、さっきの女性の先生が言った通り、私が話をすることで事件の真相が分かる可能性があるなら、試してみる価値はあるのかなと思いまして……』

僕が答えようとすると、背伸びしてきた鷹央が僕の手から受話器をもぎ取った。

「もちろん、私がしっかりと真相解明してやろう。だから、ぜひ話を聞かせてくれ。いつがいい？　もちろん今日でもいいぞ。いつなら時間が取れる？」

鷹央は嬉々（きき）として声を上げながら、得意げな視線を向けてきた。

3

「桜井の話を聞いてから、色々と可能性を考えてみたんだ。その上で、いくつか仮説を思いついた。問題はその仮説のどれが正しいかだ」

椅子に腰掛けた鷹央は後頭部で両手を組んだ。隣に座る僕は首を捻る。

「四年前に死んだはずの男の新鮮なＤＮＡが、最近の犯罪現場から見つかったことに説明がつく仮説が、そんなにあるんですか？」

辻から話をしてもいいという連絡が入った約一時間後、鷹央と僕は十階にある統括診断部の外来診察室へと移動していた。辻が「もう仕事は終わっていますので、一時間ちょっとで伺えます」というので、ここで彼の到着を待っているのだ。

「仮説だけならな。まずはＤＮＡ検査が間違っていたケースだ。これだと、犯人が辻の兄弟だという前提条件が消え去り、なんの謎もなくなる」

鷹央は左手の人差し指を立てる。

「でも、それについては、複数の機関に確認したって桜井さんが言っていましたよ」

「そう、だからこの仮説はいの一番に捨てたよ」

「なんだ。それならリストアップしないでくださいよ」

「いつも言っているだろ。ありとあらゆる可能性を検証して、最後に残ったものが真実だ。どんなあり得なさそうな仮説でも、一応検討はしないとな。ただ、いま言ったようにこの仮説はまずありえない。それに、そんな単純な話じゃ面白くない」

「面白くないって……、実際に女性が何人も殺されているんですよ」

「ああ、そうだ。すでに何人も人が殺されている」鷹央の声が低くなる。「このタイプのシリアルキラーはほぼ間違いなく快楽殺人者だ。女を絞め殺すことに快感を覚えているんだよ、おそらくは性的な快感を」

「……おぞましいですね」そんな言葉では表しきれない嫌悪感が、顔の筋肉を歪める。

「ああ、おぞましい。まさに怪物だ。しかも、何回も成功したことで、犯人は自信を得ている。こうなるともはや止まらない。歪んだ欲望のままに犯行を重ねていく。逮捕されない限りな」

僕は唾を飲み下す。喉がごくりと鳴った。

「事件現場に残っていた四年前に死んだ男のDNA。警察は何が起こっているのか分からず混乱しているはずだ。だから、私たちが先に事件の真相に迫り、その『怪物』を狩ってやるんだ」

鷹央の顔に肉食獣を彷彿させる笑みが浮かぶ。普段から自らの超人的な知能と膨大な知識を持て余し気味の鷹央は、その能力をいかんなく発揮する機会を常に欲している。今回の不可思議な事件は、彼女の頭脳を駆使するにふさわしいシチュエーションだ。不可思議な謎を解くことにより今後起こる凶行を未然に防げるかもしれない。喜びをおぼえるなというのも無理な話なのかもしれない。

「さて、それじゃ次の仮説だ」鷹央は再び話しはじめる。「まず、犯人が春日広大ではない場合だな。それなら、春日広大が四年前に死んでいてもなにもおかしくない」

「でも、現場に春日広大のＤＮＡが……」

口をはさみかけた僕の鼻先に、鷹央は左手の人差し指を突きつける。

「よく思い出せ、桜井が言っていたのは、犯人のＤＮＡがいまからここに来る辻章介、旧姓、春日章介と兄弟関係にある男のものだと証明されたということだけだ。そして記録上、辻には兄弟が一人しかいなかったため、犯行現場のＤＮＡが春日広大のものだと考えられている」

「記録にない兄弟がいるってことですか？」

「ああ、記録に残らない違法な方法で養子に出された兄弟がいた可能性もある」

「戦前とかならまだしも、いまの日本でそんなことがあり得るんですか？」

「さあ、どうだろうな。けれど、きっと警察もその可能性を考え、必死に調べているはずだ。まあ、足を使っての捜査は警察のお得意だ。それは任せるとして、私たちは他の仮説を検討しよう。次に、春日広大が犯人だった場合だ」

「けど、四年前に鷹央先生が死亡確認しているんでしょ？　あり得ませんって」

僕が声のトーンを上げると、鷹央は唇の端をわずかにあげた。

「私が死亡を宣告したのは、果たして本当に春日広大だったのかな？」

「え？　どういうことですか？」

「四年前、救急隊からの情報で、搬送されてきた患者は春日広大だと私たちは思っていた。けれど、それが別人だったのかもしれない」

「でも、家族も一緒だったんですよね。それなら間違えるはずないじゃないですか」

「その家族がグルだったら？　他人の死体を用意して、それを春日広大だと偽っていたのかも。そうすれば、死亡したのは春日広大だと思って死亡診断書を書く」

「なんでそんなことをする必要が……」

「あくまで一つの仮説だが、もしかしたら家族は、春日広大が『真夜中の絞殺魔』だと知っていたのかもな。そのままだといつかは逮捕されると思った家族は、春日広大を死んだことにするために一芝居うったというわけだ」

「ちょ、ちょっと待ってください」僕は額を押さえる。「そうだった場合、これからやってくる辻はその入れ替えを知っていることになりますよね」

「そうだ。だから、この仮説をぶつけて反応を見ないとな。小鳥、頼んだぞ」

鷹央は僕の背中を叩く。鷹央は先天的に他人の反応から心情を読むことが苦手だ。

たしかに僕がやるしかない。これは責任重大だ。

「ただ、この仮説にはちょっとした問題がある。私が救急部で見た『春日広大』には、腹や太ももに多くの注射痕があったんだ。日常的にインスリン注射をやっていた証拠だな。もしこの仮説が正しかった場合、家族はわざわざインスリンを必要とするほど重度の糖尿病患者を身代わりに使ったことになる。重度の糖尿病で、年齢もそれほど変わらず、さらに失踪しても問題にならない身代わり、なかなか見つけるのは難しそうだ」

「たしかにそうですね……」

「まあ、細かい点は辻という男が来てから検討することにして、他の可能性を挙げていこう。次は搬送されてきたのが春日広大で、最近の事件の犯人も同じだった場合だな。まず最初に考えられるのは、私の診断ミスだ。まだ死亡していなかったのに死亡宣告をし、その後、蘇生したという可能性だな」

「そんなことあり得ません！」

　想像以上に声が大きくなってしまう。鷹央は軽く身を反らした。

「何を興奮しているんだよ。あり得ないとは言い切れないだろ。死亡と極めて似た状態に陥る状況はいくつかある。低体温とか、ある種の毒物の影響下とか。そもそも、あの夜は続けざまに重症患者がやって来て、救急部はパニック状態だったんだよ」

「だからって鷹央先生が診断ミスをしたとは、僕は絶対に思いません」

はっきりと言い切る僕を数秒見つめると、鷹央はふっと相好を崩した。

「まあ、お前がそう思うのは勝手だな。そして、もし私が診断ミスをしていないとしたら、あと残っている仮説は一つだ」

「残っている仮説？」

「簡単だよ」鷹央はあごを引くと、桜色の唇に妖しい笑みを湛える。「最近になって本当に生き返ったんだよ。四年前に死んだ男がな」

「いや、そんなわけないじゃないですか」

「なんでないって言い切れるんだ。春日広大の家族は死者の復活をうたう教団に入っていたんだろ。もしかしたら本当に生き返った可能性もあるかもしれないだろ」

「ないですって」興奮気味に話す鷹央の前で、僕はため息を吐く。

「どんなことも頭ごなしに否定せず、検証するのが科学ってものだ。本当に生き返ったらすごいだろ。そもそも、死者の復活の伝承は世界にはいくつもあるんだぞ。もちろん、一番有名なのはイエス・キリストの復活だ。ゴルゴタの丘で十字架にかけられて処刑されたイエスはその数日後に甦り、弟子たちの前に姿を現したのちに天に昇っていったとされている。また、ラザロの復活も有名だ。病によって命を落としたラザロはその四日後にキリストによって……」

またはじまった……。いつものように鷹央が垂れ流しはじめた『死者の復活』の知識を聞き流していると、内線電話が鳴りだした。気持ちよく話していた鷹央が口を尖らせるのを見ながら、僕は受話器を取る。

『こちら警備室です。天久先生と小鳥遊先生に呼ばれたという男性がいらしているんですが、お通ししてもよろしいでしょうか？』

僕は「よろしくお願いします」と受話器を戻すと、まだ話し足りなさそうにしている鷹央に視線を向ける。

「辻さんが来たみたいですよ。死者の復活についての蘊蓄(うんちく)はまたにして、今は事件に集中しましょう」

鷹央は「分かったよ」と不満げに頷いた。

数分してノックが響き、扉が開いていく。スーツ姿の若い男が姿を現した。年齢は僕と同じか少し下ぐらいだろう。髪は短く切りそろえられ、スーツは既製品のようだがしっかりとアイロンが掛かっている。清潔感のある好青年といった雰囲気だった。

「あの、統括診断部というのはこちらでしょうか？」男は落ち着きなく部屋を見回す。

「はい、僕が先ほどお話しした小鳥遊です。そして、こちらが部長の天久です」

「あっ、どうも。辻章介です」

会釈をしつつ僕に名刺を差し出してきながら、辻はちらちらと横目で鷹央を見る。一見すると女子高生にしか見えない鷹央と、診療部長という立場がうまく頭の中で繋がらないのだろう。鷹央と初対面の人物には多い反応だ。

名刺を見ると、そこには一流家電メーカーの営業部と記されていた。

「あの会社で営業をなさっているんですか。すごいですね」

「いえ、そんなことは……」

謙遜しながら辻は鷹央にも名刺を差し出す。鷹央はそれを一瞥すると「覚えたからいらないぞ」と言い放った。戸惑っている辻に、僕は椅子を勧める。

「本日はわざわざご足労いただいて、ありがとうございます」

正面の椅子に腰掛けた辻に礼を言うと、彼の表情が少しだけ硬度を増した。

「最初は来るつもりはありませんでした。もう、兄のことは……、家族のことは忘れたかったんです」

「それじゃあ、なぜ話をする気に?」

「そちらの先生が事件の真相を解明してくれるとおっしゃったからです」

辻は鷹央を見る。

「たしか、天久先生は名探偵で、これまでいくつもの大きな事件を解明しているとか。ですから、今回の事件ももしかしたら……」

「ちょっと待ってください」僕は慌てて辻のセリフを遮った。「その話はどこから？」

「刑事さんが言っていましたよ。えっと……桜井刑事でしたっけ。あの人、兄の死亡診断書のコピーを持ってきたんですけど、それを書いた医師の署名を指さして、『本当にこの人が死亡確認したんですか？』って訊いてきたんです。『多分そうだけど、そのお医者さんがどうかしたのか』って俺が訊ねたら、教えてくれたんですよ。そのお医者さんは名探偵だって」

あの偽コロンボ、また適当なことを言いやがって。

「私は正確には探偵じゃないぞ。探偵というのは他人の秘密などを探ることを生業にする職業と、その職業に就いている者に対する呼称だ。私は医師だから、探偵ではない。ただ、推理小説などでは職業に関係なく、複雑怪奇な事件を解決する人物を『名探偵』と呼ぶ習慣があるから、その意味で言えば、私は『名探偵』と言えなくもないな」

鷹央は早口で『探偵』について説明する。自分で『名探偵』とか言うなよな。僕が内心で突っ込んでいると、鷹央は身を乗り出して辻の顔をのぞき込む。

「つまり、お前は私に事件の真相を解明して欲しいからここに来たということだな」

「はい、そうです」辻ははっきりと頷いた。「もう、わけが分からないんですよ。四年も前に死んだはずの兄貴が生きていて、しかも『真夜中の絞殺魔』だなんて言われて。兄はたしかに少し変わったところもありましたが、優しい人でした。人を殺したりするわけがない。それに、そもそも兄は四年前に確実に死んでいるんです」

辻は両手で頭を抱えると、「本当に何がなんだか」と弱々しくつぶやく。

「四年前に死んだ男は、間違いなくお前の兄、春日広大だったのか？」

鷹央に声をかけられた辻は顔を上げ、訝しげに眉根を寄せた。

「どういうことですか？」

「たしかに私は四年前、春日広大として搬送されてきた男の死亡を確認した。しかし、その男が春日広大だと確認したのは家族、つまりはお前と母親がそう言ったからだ」

「俺と母が嘘（うそ）をついているっていうんですか？」辻の声に怒気が混じる。

「あり得ない話じゃないだろ。私は春日広大と会ったことがなかったんだからな」

「分かりました。証拠をお見せしますよ」

辻はスーツの内ポケットからスマートフォンを取り出し、せわしなく操作しだす。二分ほどして、辻は「あった」とつぶやくと、スマートフォンの画面をこちらに向けた。

「これは六年前、俺が二十二歳で結婚式を挙げたときの写真です」

そこにはタキシード姿の辻と、ウェディングドレスを着た小柄で華奢（きゃしゃ）な女性が写っていた。辻は画面に指で触れ、写真を流していく。

「ここに兄が写っています」

辻と新婦がキャンドルサービスを行っている写真だった。蠟燭（ろうそく）に炎を灯された席には、年配の女性と四十がらみの小太りの男性が座っている。よく見ると、男性の前には『春日広大』という名札が置かれている。

この男が春日広大。僕はそこに写る男を見る。髪はやや薄く、あまり散髪していないのか肩にかかりそうなほどに長い。礼服は小さすぎるのかきつそうで、ネクタイは曲がっている。どことなくだらしない雰囲気を醸し出しているが、細められた目と、綻（ほころ）んだ分厚い唇は、弟の結婚を心から喜んでいるように見えた。

この男が春日広大なら、となりの女性が母親だろう。そんなことを考えながら、僕は横目で鷹央に視線を送る。鷹央は食い入るように画面を見つめていた。

「他にこの男の写真はあるか？」

「ありますよ」

辻は写真を流していく。そのいくつかに、春日広大と思われる男が写っていた。

「これが兄です。そして、兄はこの病院で亡くなりました。天久先生でしたっけ、あなたが兄に死亡を宣告したんです。四年前のことですから思い出せませんか？」

「いや、しっかり覚えている」鷹央は画面を見つめたまま答える。「四年前だろうが、十年前だろうが、私は一度見た光景を忘れない。私が死亡宣告したのはこの男だ」

「覚えていていただけてよかったです。これで俺が母と共謀して、兄と他の男の死体を入れ替えたっていう疑いは晴れましたね」

安堵の息を吐く辻を、鷹央はまっすぐに見る。

「春日広大以外にお前に兄弟がいないというのは間違いないのか」

「いないはずです。少なくとも、俺が知る限りでは」

鷹央は「そうか」とつぶやくと、額に指を当てた。

「それが本当なら、残った可能性は、死んだ春日広大が生き返ったということだけだ」

「なに言っているんですか。そんなわけないでしょ。きっとDNA検査のミスですよ」

「警察は複数の機関でDNA検査を行い、その全てで『真夜中の絞殺魔』はお前の兄弟だと結論づけている。検査のミスは考えにくい」

「だからって、兄貴が生き返ったなんて……」

「お前の母親は、死者の復活をうたう教団に入っていたんだろ」

「『癒しの御印』ですか……」

辻は吐き捨てるように言った。鷹央は「なんだって？」と聞き返す。

「『癒しの御印』、母が入っていた教団ですよ。なんか、代表が手をかざすことで病気

が治ったり、場合によっては死んだ人間を生き返らせることもできるってうたってい
た怪しい団体です」
「聞いたことないな」
「そんな大きな団体ではなかったですからね。ただ、教団員は数千人はいたらしいで
すよ。あくまで母から聞いた話ですけど」
「お前の母親は、いつその団体に入ったんだ？」
「たしか、七年ぐらい前でしたっけね。その頃、兄の糖尿病がかなり悪化して、この
ままじゃ長く生きられないって言われたんですよ」
「それで、糖尿病の治療をしてもらうために入信したのか？」
「最初は知人の紹介で兄を連れて行って、試しに一度治療してもらったんです。そう
したら、次の検査で血糖値がかなり改善していたとかで、母はその団体の代表に心酔
するようになりました」
「それって、糖尿病が悪化したから主治医が投与するインスリンの量を増やして、そ
の結果血糖値が改善したんじゃないですか？」
僕が横から口を挟むと、辻は苦笑する。
「ええ、多分そうでしょうね。兄の主治医もそう言っていたそうです。けれど、母は
代表の力だって疑わなかった。すぐに入信して、のめり込んでいきました」

「かなり簡単に信じたんだな」鷹央は背もたれに体重をかける。

「あのとき、母は参っていたんです。兄の糖尿病だけじゃなく、ちょうどその半年ぐらい前に親父を癌で亡くしていたんで。これ以上、家族を失いたくないって必死だった。だからあんなにころりと騙されたんでしょう」

「騙されたということは、お前はその教団を胡散臭いと思っていたのか？」

「ええ、もちろん。なんとか母を脱会させようとしましたよ。まあ、まったく聞く耳を持ちませんでしたけどね」

「兄の方はどうだったんだ？」

鷹央は続けざまに質問をしていく。辻は軽く肩をすくめた。

「兄も本気で信じていたわけではないはずですよ。ただ、母が自分のために目の色変えてのめりこんでいたんで、一応儀式とかには付き合っていたみたいです」

鷹央は「なるほどな」と腕を組んで考え込んだ。僕はその隙に、ずっと気になっていたことを訊ねる。

「あの、お兄様はどんな方でしたか？」

「兄は……優しい人でした。一回り以上、年が離れていましたけど、俺のことを可愛がってくれました。うちは親父が仕事であまり家にいなかったんで、俺にとって兄は父親代わりでした」

「亡くなったとき、お仕事とかご家族は？」

　僕が続けざまに訊ねると、辻の顔が歪んだ。

「兄は大学受験に失敗してからあまり外に出なくなって……。まあ、簡単に言えば引きこもりですね。そんな状態で、実家の裏に建ててある離れ、といっても小さなプレハブ小屋ですが、そこに二十年近く籠もっていました」

「離れで？　母屋に部屋はなかったんですか？」

「あったんですが、うちの父はかなり厳しく、さらに古い考えの人で、勉強も仕事もしない男に家の敷居を跨がせないと言って追い出したんです。それ以来、食事などは母が離れまで運ぶようにしていました」

「それは、なんというか……、厳しいですね」

「父は兄が小学生のときに糖尿病になってから、辛く当たるようになったんです。糖尿病は怠け者がなる病気だ。自分の息子がそんな病気になるなんて許せないと思ったらしいですね」

「I型糖尿病は自己免疫疾患だ。生活習慣とは関係ないぞ」

　鷹央が指摘すると、辻は大きくため息をついた。

「母や主治医もそう説明したらしいですが、父は聞く耳を持たなかった。僕が覚えている父はいつも兄を怒鳴っていました。手が出ることも少なくありませんでした」

「それって虐待じゃ……」僕の頬が引きつる。

「ええ、虐待です。父の死後もトラウマで母屋に入ることが怖かったみたいで、兄は離れに住み続けていました。まあ、父がいなくなったので、食事のときは家に入るぐらいはしていたらしいですけど」

幼少期からそんな虐待を受けていれば、それも当然だろう。引きこもりになったのも、父親のせいで精神に大きな傷を負ったことが原因かもしれない。

「なあ、その『癒しの御印』という教団は、死者の復活をうたっていたんだよな？」

鷹央が唐突に話題を変える。辻は「そうらしいですね」と興味なさげに答えた。

「それなら、お前の母親は夫を生き返らせて欲しいと頼まなかったのか？　息子の糖尿病を治してもらうより、そちらを優先するのが普通じゃないか？」

「それは無理なんですよ」辻は皮肉っぽく、唇の片端を上げた。「あの教団では、死者を復活させるには様々な条件が必要だと主張していたんです」

「条件？　なにか特別な儀式とかあるのか？　兄の遺体を葬儀社ではなく、教団が持っていったのもそれと関係があるのか？」

鷹央は椅子から腰を浮かしつつ、質問をぶつけていく。

「まずあの団体では、火葬が絶対的な禁忌だったんです。火葬したら魂を戻すための肉体が消滅してしまうとか言っていましたね。父は火葬されていたんで、条件に当てはまりませんでした。教団員が亡くなったらまず教団幹部がやってきて、なにか呪文みたいなものを唱えながら遺体の首から下を布でミイラみたいに巻くらしいです。その遺体を棺桶に入れ、代表によって浄化された土地に埋めるんですって。兄もそうやって葬られたはずです」

「土葬するってことですか？」

僕が目を見開くと、辻は「そうです」と頷いた。

「でも、日本で土葬ってできるんでしたっけ？」

僕がつぶやくと、鷹央が横目で視線を送ってくる。

「土葬は不可能じゃないぞ。火葬を禁じている宗教は少なくないからな。ただ大多数の墓地では土葬を受け入れていないし、条例によって禁じられている地域もあるので、可能な場所は限られているけれどな」

「『癒しの御印』では、奥多摩の山奥に土地を買って墓地にして、そこに教団員の遺体を葬っていました。そして、永遠の命を持つと自称している代表が、定期的にその墓地に行って祈りを捧げるんです。そうすれば、代表の命が少しずつ死者にたまっていき、やがて復活するらしいですね」

辻の口調には、小馬鹿にするような響きがあった。

「それで、実際に生き返った人間がいたのか？」

鷹央が訊ねると、辻は鼻を鳴らす。

「自称、生き返った人間はいたらしいですけど、サクラでしょうね。どうせ代表の仲間が、偽の死亡診断書かなにかを使って教団員を騙していたんですよ」

「そんな子供だましに引っかかるもんですか？」

「それが引っかかっちゃうんですよ、藁にもすがろうとする人間は。あの頃、母は兄の病気を良くしようと必死でした。父の虐待を止められなかったという負い目もあったんでしょうね。現代医学でも完治できない兄の糖尿病が治るかもしれないと言われて、簡単に引き込まれていきました」

腕を組んで辻の話を聞いていた鷹央が、「なあ」と声を上げる。

「春日広大の遺体が葬られるのを、お前は見ているのか？」

「いえ、見ていません。俺は兄を普通に葬りたいと思ったんで、母と大喧嘩になったんです。そして『癒しの御印』の教団員たちがやってきたところで、呆れて病院をあとにしました。それ以来、母とはほぼ絶縁状態です」

鷹央は「そうか」とあごに手をやった。

「鷹央先生、どうかしましたか？」僕は鷹央の顔をのぞき込む。

「ということは、『癒しの御印』の教団員以外は、春日広大が実際に葬られるのを見ていないということだな」

「まあ、そうですけど……、それがどうかしましたか？」辻は訝しげに訊ねた。

「もしかしたら、その教団は人間を仮死状態、それも医師から見ても完全に死んでいる状態に見せるような薬物を持っていたのかもしれない。それを春日広大に使用したあと、教団員たちが霊安室で蘇生させた可能性も否定できない」

「そんな薬があるんですか⁉」辻の声が高くなる。

「似たような薬はなくはない。ただ、普通は医者がしっかり診察すれば、死んでいないことが分かるはずだ。四年前、春日広大は間違いなく死んでいるように見えた。もしそれが何らかの薬物によって引き起こされていたなら、少なくとも既存の薬ではない」

「あの怪しい団体が、そんなたいそうな薬を持っていたとは思えないんですけど」

「あくまで仮定の話だ。ただ、そんな薬があれば、『奇跡』を見せるのも簡単だっただろうな。医者でも死亡していると診断する状態から、甦らせることができるんだから」

現実にそんな薬物が存在するのだろうか。鷹央ですら、死亡していると騙せるような薬物が。そこまで考えたとき、僕は「あっ」と声を上げる。

「鷹央先生、いまの説はおかしいですよ」

「どこがだよ？」鷹央は不満げに下唇を突き出した。

「その薬を春日広大に使って、死亡したと勘違いさせ、その後に復活させたっていうんですよね。もしそうなら、その教団が春日広大の復活を大々的に宣伝して布教に使っているはずですよ。なんと言っても、医師の死亡診断の後に復活したんですからね。けれど、実際にはそんなことはなかったでしょ」

「宣伝が目的じゃなかったとしたらどうだ?」鷹央はわずかに口角を上げる。「もし目的が、春日広大という男が死亡したと思わせることだとしたら、矛盾はないだろ」

「いや、矛盾はないですけど、なんでそんなことする必要があるんですか?」

「さっき言っていただろ。四年前の連続絞殺事件だ。その犯人が春日広大だったとしたらどうだ」

辻の表情が硬直する。しかし、鷹央はそれに気づくことなく話を続けていく。

「四年前、春日広大の母親は息子が殺人犯だと気づいた。このままだと、いつか息子は逮捕され、おそらくは死刑を言い渡される。それなら、その前に死んだことにしておけばいい。そうすれば、息子が犯人だと警察に気づかれる可能性が低くなるし、万が一気づかれたとしても、すでに死亡した人間が追われることはない。被疑者死亡で書類送検されておしまいだ。そのため、教団に大金を払い長男の死を偽装した」

「……本気で言っているんですか?」辻は怒気をはらんだ声でつぶやく。

「あくまでその可能性があるということだ。ただ、そう考えれば、最近の絞殺事件の現場で、お前の兄弟のＤＮＡが見つかったことにも説明がつく。四年前に死んでいなかった春日広大が、再び犯行をはじめたんだ」

「そんなわけないです。兄は確かに社会になじめていませんでしたけど、それは優しすぎたからです。兄が人を殺すなんて、絶対にあり得ません！」

「けれど、現に四年前と最近の殺人現場から、お前の兄弟のものと思われるＤＮＡが見つかっているんだぞ」

「だから、それはきっとなにか検査のミスで……」

辻の反論を鷹央は掌を突き出して止める。

「これ以上は水掛け論になるだけだ。この仮説には、私でも見抜けないほど完璧に死を偽装できる薬物を、『癒しの御印』という教団が持っていることが前提になる。だから、まずはその団体を調べる必要があるな。もし、似たような事例がいくつも起きているなら、その仮説が正しい可能性が高くなる」

鷹央は上機嫌に言う。間違いなく、その教団に乗り込んで調査をする気だ。九ヶ月前、大宙神光教の施設に潜入した記憶が蘇り、顔の筋肉が引きつる。

「『癒しの御印』を調べるなんて無理ですよ」辻は吐き捨てるように言う。

「なんでだ？　そういう団体は新しい教団員を獲得するために勧誘を行うのが定石だ。そこに潜入すれば……」

「もうないんですよ」

鷹央のセリフを辻が遮った。鷹央は「もうない？」と目をしばたたかせる。

「ですから、『癒しの御印』は二年以上前に解散というか、空中分解しているんですよ」

「空中分解？　なんでだ？　数千人も教団員がいたんだろ？」

「簡単です。代表が癌で死んだんですよ。永遠の命を持っていて、その命の力を分け与えるはずの代表がね。それで教団は完全に解散になったらしいです」

辻は嘲笑（ちょうしょう）するように言う。

「……じゃあ、四年前、春日広大の遺体を引き取りに来た教団の奴らを特定するのは難しいか」

「ええ、難しいんじゃないでしょうかね」

「そうすると、話を聞くべき人物は一人しかいないな」

鷹央の独白に、辻は眉をひそめた。

「話を聞くべき人物？　そんな人がいるんですか？」

「いるだろ、春日広大の遺体の搬送から埋葬まで、全てを目撃したであろう人物が」

鷹央は大きく両手を広げながら辻を見る。

「お前の母親だよ」

翌日の昼下がり、僕と鷹央は、辻とともに清瀬市の閑静な住宅街を歩いていた。僕は横目で、すぐ隣にいる辻を窺う。その表情は硬くこわばっていた。

昨夜、母親に会いたいと鷹央が言い出すと、辻は強い拒否反応を示した。しかし、鷹央が「お前の兄が連続殺人事件にかかわっているか知るために必要なんだ」と説得すると、渋々といった様子で母親に会わせることを了解してくれた。

「そこの角を曲がったところです」

十字路を右に折れたところで辻は足を止めた。硬い表情の彼の視線は、二十メートルほど先にある一軒の家に注がれていた。瀟洒な雰囲気を醸し出す二階建ての家。

辻は重い足取りで、その家に向かって歩いて行く。辻の後ろについて門扉の前までやってきた僕は、まばたきをする。遠目からは高級感のある造りの家に見えたが、近づいてよくよく見ると、その外壁はところどころ剝げてくすんでいた。広い庭も雑草が伸び放題で、ほとんど手入れされていないことが見て取れる。

辻は気を落ち着かせるように大きく息を吐くと、『春日』と記された表札のそばのインターホンに手を伸ばす。軽い電子音が響いた。

『章介！　章介なの⁉』女性の甲高い声がインターホンから聞こえてくる。

「……ああ、そうだよ」辻は硬い声で答えた。

『ちょっと待っていてね、すぐに行くから！』

十秒もたたないうちに家の扉が勢いよく開き、小柄な女性が飛び出してきた。彼女が辻の母親だろう。六十歳を少し過ぎたぐらいと聞いていたが、病的なほどに瘦せているため、年齢より老けて見えた。

サンダルを鳴らしながら石畳を駆けてきた女性は、辻の体に両手を回し、肩をふるわせはじめる。

「よく帰ってきてくれたね。ずっと待っていたんだよ。一人でずっと……」

嗚咽混じりに声を絞り出す母親の両肩を摑むと、辻は自分の体から引き剝がした。

「勘違いしないでくれ、俺は母さんのことを赦したわけじゃない」

吐き捨てるような辻の言葉に、母親の顔が哀しげにゆがむ。

「そちらのお二人が、どうしても母さんから話を聞きたいっていうから、仕方なく案内したんだ」

女性は僕たちを見ると、慌てて姿勢を正し「章介の母の春日正子と申します」と頭を下げる。その姿は、落ち着いた老婦人といった雰囲気だった。

「母さん、とりあえず家に入れてくれ」

「え、ええ、そうね。ごめんなさい。どうぞ、こちらへ」

正子に促され、玄関に入った僕は、室内を観察する。靴箱の上に置かれた壺や、壁にかけられた油絵などからは高級感が漂ってくるが、廊下にはうっすらと埃がたまっていた。元々は金銭的に余裕があったようだが、いまは掃除さえ行き届いていないようだ。

正子は僕たちをリビングへと案内する。促されて座った本革のソファーはところどころ破れていて、目の前に置かれているガラス製のローテーブルには手の脂が浮いていた。

「ごめんなさいね。昨日、連絡をもらったあと、急いで掃除したんだけど、細かいところまで行き届かなくて」

言い訳するように言うと、正子は「お茶を淹れてきます」と消えていった。

「なかなか広い家だな。いまはお前の母親が一人で住んでいるのか」

ソファーに深く腰掛けた鷹央は部屋を見回す。

「ええ、二年前、あの教団が崩壊したときに戻ってきたんですよ」

辻はふてくされたような態度で答えた。

「戻ってきたって、それまではどこにいたんだ？」

「出家教団員として、その教団の施設に住んでいたらしいです。その施設が閉鎖になったからって、のこのこと帰ってくるなんてね。兄貴が死んで一年ぐらいのときには、この家も売ってお布施にしようとしていたくせに。まあ、その頃は俺が一人でここに住んでいたんで、さすがにそこまでしませんでしたけどね」

「ん？　お前は六年前に結婚していたんじゃなかったか」

鷹央は辻の左手の薬指に嵌まっている指輪を指さした。辻は渋い表情になる。

「……四年前、兄が死んだちょっとあとに離婚したんです。そして二年前、母が戻ってくる前に再婚しました」

「なるほど。離婚して一人になったんで、ちょうど誰も住んでいなかったこの家に一人で住んだということか。しかし、こんなでかい家に一人だと寂しくないか」

鷹央のデリカシーのない言葉に、辻は哀しげに頷く。

「そりゃ寂しかったですよ。息子の親権も元妻に取られましたからね。それ以来、息子には会えていません。毎月、ただ養育費を払っているだけです。もう五歳になるはずなんですが……」

「それで、再婚を機にこの家を出たということか」

「ええ、家族でここに住むことも考えたんですけど、つらい思い出も多い家なんで、新居で新しいスタートを切ることにしました。予定ではこの家は賃貸に出すつもりだったんですが、すぐに母が戻ってきたので、それもできませんでした」

鷹央は「そうか」とつぶやいて立ち上がると、窓に近づきカーテンを開ける。広い裏庭があらわになる。そこには、雑草に囲まれてプレハブ小屋が鎮座していた。

「あれが、春日広大が住んでいた離れか？」

「そうです。兄はあそこに引きこもっていました。四年前、倒れている兄が見つかったのもあの建物です」

鷹央は無言で離れを眺め続ける。そのとき、正子が盆を持ってリビングに戻ってきた。

「紅茶とお茶菓子を持ってきました。お口に合えばいいけど」

正子がローテーブルにお茶と饅頭（まんじゅう）を置くやいなや、素早くソファーに戻ってきた鷹央は饅頭を手に取り、ぱくつきはじめる。

「うん。甘い。うまい」

笑顔で饅頭をかじっている横で、僕は正子と辻の間にわだかまっている、なんとも重苦しい空気に緊張していた。辻は母親に視線を向けることなく、正子はチラチラと横目で息子の様子を窺っている。

「あの、それでお二人はどなたなんでしょうか？　章介からは私に会いたがっている人がいるとしか聞いていなくて」

直接息子に声をかけることが憚（はばか）られたのか、正子は僕に話を振ってくる。リスのように頬を膨らませている鷹央は当分喋（しゃべ）れそうにないので、代わりに僕が口を開く。

「僕は天医会総合病院統括診断部の小鳥遊と申します。こちらは部長の天久です」

「天医会……」媚びるような笑みが浮かんでいた正子の顔がこわばる。

「そうだ。四年前にお前の長男が救急搬送され、命を落とした病院だ。ちなみに、その際に私が治療に当たり、そして死亡確認もしている」

口の中の饅頭を紅茶で飲み下した鷹央が言う。正子の表情が歪んだ。

「あなたたち、広大のことを聞きに来たの？　あの子がまだ生きていて、人を殺したとか思っているわけ⁉」弱々しかった正子の口調に強い怒りが滲む。

「おや？　そういう疑いがかかっていることは知っているのか？」

「数日前から何度も刑事がやって来ているのよ。殺人事件の現場で広大のＤＮＡが見つかったって。それで、本当に広大は死んだのかとか、広大のＤＮＡが付いてるようなものはないかとか、しつこく聞いてきて、追い返すのが大変だった」

「長男が犯人じゃないと信じているなら、ＤＮＡが付着しているものを渡してやればいいだろ。そうすれば、はっきりする」

「それは無理なんですよ」正子の代わりに辻が答える。「兄貴の私物は四年前に全部俺が処分しました。そうすれば、母も兄貴が死んだっていう現実を受け入れてくれると期待して。まあ、家を飛び出して教団施設に行っちゃいましたけどね。それに、二年前、俺がこの家を出るときに、業者に頼んで家をクリーニングしてもらっているんです。離れも合わせてね。賃貸に出すには、その方がいいと思ったんですよ。結局母が戻ってきたんで、あまり意味はなかったですけど」

「そうなると、ＤＮＡは難しいかもしれないな。けど、春日広大が本当に亡くなっているのかどうかは、詳しく話せるんじゃないか。その一部始終を見ているんだからな」

鷹央は正子の目を覗き込む。

「なにを言っているの？　さっきあなた、自分が四年前に広大が死んだことを確認したって言ったじゃない」

「たしかに私は春日広大の死亡を確認し、死亡診断書を書いた。けれど、そのとき お前は死者の復活をうたう教団の教団員だった。もしかしたら、その教団は人を死んでいるように見せかけ、後で蘇生できるような薬物でも開発していたのかもしれない」

「そんな薬なんてない。広大は間違いなく死んでいたの」

駄々をこねるように正子は首を振った。鷹央はテーブルに手を置き、身を乗り出す。

「それなら、四年前に何があったか教えろ。病院に運ばれる前と、死亡診断を受けたあとに何があったのか」

鷹央に圧倒されたのか、正子は怯えた表情を浮かべると、ぼそぼそと話しはじめた。

「あ、あの日……、夜十一時頃に、離れにある広大の部屋に行ったの。いつもその時間に夜食を持って行っていたから」

重度の糖尿病で食事制限を指示されていた男が、毎日夜食を食べていたのか。血糖コントロールが不十分になるはずだ。呆れる僕の前で、正子はぼそぼそと話し続ける。

「そうしたら、広大が倒れていて……。もう、どうしていいか分からなくて、すぐに章介に携帯で電話をしたの」

鷹央は横目で辻を見る。辻は小さく頷いた。

「……ええ、電話が来ました。パニックになって何を言っているのかよくわかりませんでしたけど、兄貴が倒れていることだけは分かったんで、俺から救急要請しました」

「そのとき、お前はまだ前妻とその子供と住んでいたんだな？」

「ええ。ただ、すでに離婚に向けて話し合いをはじめていたころでした」

「章介、あなたが恥ずかしがる必要なんてありません！　ぜんぶあの尻軽女のせいなんだから。そもそも私は最初から……」

「母さんは黙っててくれ！」

突然、興奮してまくし立てはじめた正子を、辻は苛立たしげに一喝する。

「いまは俺の離婚の話より、兄貴の話だ。話を戻しますよ、天久先生。救急要請したあと、母から天医会総合病院に搬送されたって連絡が来て、俺も病院に向かいました。病院に着いて少しして、兄が亡くなったことを聞いて、葬儀社に連絡しようとしたんです。そうしたら、母が『広大は生き返る。代表様なら生き返らせられる』って言い出して、『癒しの御印』に勝手に連絡を取ったんです。あとのことは知りません。俺は呆れて帰ったんでね」

　これ見よがしにため息を吐くと、辻は母親に冷たい視線を浴びせる。正子は体を小さくすると、再び話しはじめた。

「教団の幹部の方がやって来て、すぐに広大の遺体を代表様のところに運び、癒しの術を施す必要があると言いました。そして、そのあと『癒しの土地』に寝かせると」

「癒しの土地？」鷹央が小首をかしげる。

「教団が持っている墓地のことです」

「生き返らせるのに、『墓地』と呼んでいるんだな」

「登録上は墓地でも、教団の中では復活させるまでの遺体の保管場所という位置づけでした。定期的に代表様が力を送り込むことによって、何年か経ってから復活することができるって……」

「そのために母は親父の遺産の大部分を教団に寄付したうえ、教団施設で生活しはじめて、二年も兄貴の復活を祈っていたんですよ」

　辻が当てつけるように言う。正子はうなだれた。

「教団関係者が病院から遺体を運んだあと、お前は息子の遺体を見ているのか？」

「いえ……、そこから先の儀式には教団幹部しか立ち入れませんでしたから。私は息子がどう葬られたかも知りません」

正子は片手で目元を覆い、緩慢に首を横に振る。鷹央はソファーの背もたれに体重を預けると、腕を組んで目を閉じた。正子から得た情報を頭の中で咀嚼しているのだろう。邪魔をしないように僕も口をつぐむ。リビングに重い沈黙が降りる。

たっぷりと三分は黙り込んだあと、鷹央は桜色の唇を開いた。

「なあ、なんでお前は長男が死んでいると決めつけているんだ?」

正子は訝しげに眉根を寄せると、「え?」と聞き返す。

「お前がもともと信じていた教団では、数年で死者が復活するという教えだったんだろ。もしかしたら、死亡から四年経ったいま、長男が生き返ったとは思わないのか? そうでなかったとしても、さっき私が言ったように、医者の診断すら騙すような仮死状態にする薬を開発していて、長男はそれを投与されただけかもしれない」

鷹央はあごを引くと、正子を睨め上げる。

「現に春日広大のものと思われるDNAが最近の連続殺人現場から発見されている。長男が生きていると信じてもおかしくない状況だ。それなのに、お前はさっきから、長男は死んだと決めつけている。それはなぜだ? なにか隠しているんじゃないか?」

正子は天井あたりに視線を彷徨わせると、大きく息を吐いた。

「それは、『癒しの御印』の本当の姿を知ったからよ」

「本当の姿？」

「ええ、三年ぐらい前に代表様は末期の膵臓癌だって告知されたの。それからのあの人の振る舞いはあまりにもひどすぎた。熱心な教団員だった私も目が覚めるほど」

正子の唇が自虐的に歪んだ。

「自分にはどんな病気も治す力があるって言っていたくせに、日本中、いえ世界中の病院に受診して、治せるお医者さんがいないか探した。それでだめだと分かると、今度は怪しい祈禱師とか呪術師とかを呼びはじめたのよ。死者を甦らせるって言っていた人が、自分の病気も治せずそんな人たちを頼りはじめた。それを見て、どんどん教団員は減っていって、最後に代表様……いえ、あの詐欺師が亡くなったのと同時に、みんな正気に戻ったの。自分たちが騙されていたってね」

「だから、春日広大が生き返るわけないと思っているわけか」

「ええ、そう。それにお医者さんの目をだませるような、高度な薬なんて持っているわけもない。本当にただのくだらない詐欺集団だったんだから」

「もっと早くそのことに気づいて欲しかったよ。そうすれば、うちの家族はこんなめちゃくちゃにならなかった。兄貴だってもっと医者のいうことを聞いていて、死んでいなかったかもしれない」

辻に揶揄（やゆ）された正子は、唇を固く嚙（か）んだ。

「なあ、お前の子供は二人だけか？　他に兄弟はいないか？」

鷹央の唐突な問いに、正子は「え？」と顔をあげる。

「春日広大が生きているかもしれないと疑われているのは、この辻章介の兄弟と思われるＤＮＡが犯行現場で見つかったからだ。警察が調べたところ、記録上ほかに兄弟はいない。だからこそ、そのＤＮＡは春日広大のものだと思われている。けれど、他に兄弟がいるならなんの謎もない。……そいつが『真夜中の絞殺魔』だ」

鷹央が押し殺した声で言う。正子は「兄弟……」と弱々しくつぶやいた。その目から焦点が失われていく。この人は何か知っている。僕はそう確信する。

「心当たりがあるのか？　なにか知ってるのかよ⁉」辻が勢いよく立ち上がった。

「い、いえ……」正子の声がかすれる。

「母さん、何か知っているなら正直に全部言ってくれ！　兄貴は生きているのか？　それとも俺に他に兄弟がいたのか？　だとしたら、俺の兄弟が何人も人を殺した怪物っていうことになるんだよ。そんなことになってみろ。俺も家族もその『怪物』の親戚（しんせき）だってだけで、世間から責められるんだぞ！」

「辻さん、落ち着いてください。そんなに大声だしたら、正子さんだって混乱しちゃって答えられませんよ」

なんとか取りなそうとするが、辻が落ち着く気配はなかった。

「本当に、俺の兄弟がどこかにいるのか？　そいつが逮捕されでもしたら俺の人生はめちゃくちゃだ。去年娘が生まれたんだ。あんたの孫だぞ」

母親を糾弾する辻の気持ちも分からないでもなかった。連続殺人事件の犯人の親戚となれば、マスコミが押しかけプライバシーが徹底的に暴かれるだろう。そして、自分たちには何の非もないにもかかわらず、人々から白い目を向けられるのだ。

「うるさいから、ちょっと黙っていろ」

鷹央が冷たい視線を辻に浴びせる。我に返ったのか、辻ははっとした表情を浮かべると、居心地悪そうにソファーに腰を戻した。

「さて、あらためて訊くぞ。春日広大、辻章介の他にお前には子供はいないのか？　例えば、養子に出した子供とか」

正子は俯いたまま数十秒黙り込んだあと、蚊の鳴くような声でつぶやく。

「……いません。私の子供は広大と章介の二人だけです」

「そうか、それじゃあ春日広大が実は生きていたということもないんだな？」

「ええ、広大は四年前に亡くなりました。生きているわけがありません」

大根役者が台本を棒読みするような口調で正子は答える。その顔からはほとんど表情が消えていた。

「母さん、本当だな？　兄貴以外に俺の兄弟はいないんだな？」

「ええ、もちろんいないわよ」

悲痛な声で訊ねる辻に、正子は淡々と答える。心を閉ざしたかのような、あまりにも不自然な態度。やはりなにか隠している。

「なるほど。それなら、最近の殺人現場から辻と兄弟関係にある人物のＤＮＡが発見されているのはどういうことだ」

「きっと検査のミスです」

「何度も繰り返し検査をし、その都度、同じ結果が出ているんだ。現場に春日広大か、記録にないお前の息子がいたのは確実なんだ」

「そんなこと知りません」

そっぽを向く正子からは、これ以上は喋らないという強い決意が伝わってきた。

「これ以上質問しても無駄みたいだな。じゃあ、ちょっとこの家を調べてもいいか？」

「え？　家を？」

「そうだ。特に興味があるのは離れだな。四年前まで、そこに春日広大が住んでいたんだろ。なにか手がかりがあるかもしれないから、ちょっと見ておきたいんだ」

鷹央が楽しげに言うと、辻が横からおずおずと口を挟んだ。

「けれど天久先生。さっき言った通り二年前に俺が業者に頼んで、しっかり清掃してもらっているんですよ。何も手がかりなんて残っていないと思うんですけど」

「もし本当に春日広大が生きているなら、住み慣れた場所に戻ってくるかもしれない。調べてみる価値は十分にある。だから、まず離れを調べてそれから……」

「ダメです！」

鷹央が言い終える前に、正子が立ち上がり怒鳴り声を上げた。

「黙って聞いていれば何なんですか。広大が人殺しだとか、私が他にも子供を産んだとか失礼なことばかり言って。もう帰ってください」

「何でだよ。ちょっと調べるぐらい良いだろ。真実を調べるためには必要なんだ」

頰を膨らませる鷹央の前で、正子は「真実なんて知らない！」とヒステリックに頭を振った。

「春日さん、ほんの少しだけでいいんです。離れだけでも拝見できませんか？　そうすれば、大人しく退散しますから」

僕が説得を試みるが、正子は激しく首を左右に振るだけだった。

「俺が案内しますよ」唐突に辻が立ち上がる。「離れの鍵なら俺も持っています。中を調べましょう。さっきから母の態度はおかしい。なにか隠しているのかも」

「章介……、あなた……」

かすれ声を出す正子を無視して、辻は「行きましょう」と僕たちを促すと、リビングから出て行った。僕と鷹央は顔を見合わせると、同時にソファーから立ち上がり、辻の後に続く。玄関で靴を履いていると、おぼつかない足取りの正子も追いつく。そのとき、ピンポーンという電子音が廊下に響き渡った。

「誰だよ、こんなときに」

外を確認することなく辻は玄関扉を開く。その奥に広がっていた光景を見て、僕はあっけにとられた。

十数人の男たちが、玄関の外に立ちはだかっていた。全員がスーツ姿だが、その全身から醸し出すどこか危険な雰囲気が、男たちが普通のサラリーマンなどではないことを物語っていた。先頭に立つ中年の男が一枚の紙を突き出す。

「警視庁捜査一課の佐藤(さとう)と申します。令状をお持ちしました。これより家宅捜索を行わせていただきます」

突然の出来事に固まっていた僕は、男たちの中に見知った顔があることに気づく。

「おう、桜井じゃないか」

隣でスニーカーを履いていた鷹央が片手を上げる。名指しをされた桜井の頬がピクピクと痙攣(けいれん)した。

「いったい、あなた方は何をやっているんですか?」

春日邸の庭の隅で、桜井は疲労で飽和した声を出す。

「なにって、春日正子から話を聞いていたんだよ。春日広大が生きているかどうか調べるためにな」

僕の隣に立つ鷹央は、まったく悪びれることなく答えた。

「あなた医者でしょ。事件の捜査じゃなくて、患者さんを治すのがお仕事じゃないですか」

「今日は土曜だから、仕事は休みだ。休みの日に何をしようが、私の勝手だろ」

正論に正論を返され、桜井は頭痛をおぼえたのか額を押さえる。

「今回の事件は連続殺人事件です。しかも、犠牲者が増え続けている現在進行形の危険極まりない事件です。いつものように、軽い気持ちで首を突っ込まないでください」

「軽い気持ちなんかじゃない！　私が死亡宣告した男が生きていて、殺人を犯しているかもしれないんだぞ。もしそれが本当なら、私にも責任がある。だから調べているんだ」

鷹央はつま先立ちになると、桜井に顔を近づけた。一瞬気圧（けお）された桜井が口をつぐんだ隙に、鷹央はさらに捲（ま）くし立てる。

「お前たちだって分かっているだろ。今回の犯人はシリアルキラーだ。逮捕されるまで人を殺し続けるぞ。だから、被害者をこれ以上出さないためにも私に協力させろ。

私の頭脳がどれだけ捜査の役に立つか、お前は知っているだろ」

一瞬、逡巡の表情を浮かべた桜井だったが、すぐに顔を左右に振る。

「『真夜中の絞殺魔』は警視庁が威信をかけて追っています。ですから、我々にお任せください。協力が必要になったときは、こちらからお知恵を拝借に伺いますから」

「それはお前の意見か？　それとも特別捜査本部を仕切っているお偉方の意見か？」

「……警察官である以上、私に自分の意見なんてありません。捜査本部の方針に従うだけです。それが組織の在り方ですから」

平板な声でつぶやく桜井に、鷹央は冷めた眼差しを向ける。

「本当にそれでいいのか？」

「仕方がないんですよ。なんにしろ、この場はお引き取りください。これから家宅捜索を行うんです。裁判所から許可を貰うの大変だったんですよ。すでに死亡しているはずの男が容疑者なんていう、わけの分からない状態ですからね」

そのとき、金切り声が響き渡った。見ると、正子が真っ赤な顔で怒鳴っている。

「なんの権利があって私の家を調べるの！　こんなのおかしいじゃない！」

「ですから、裁判所からの許可が下りているんです。できれば、おうちのかたに立ち会いをお願いしたいのですが」

刑事の一人がなんとか宥めようとしているが、正子が落ち着く様子はなかった。よく見るとそれは、今回の事件で桜井とペアを組んでいる三浦刑事だった。下っ端なので、面倒な役を押し付けられたようだ。

「刑事さん、私が代わりに立ち会いますよ。離れの鍵も持っていますし」

少し離れた位置に立っていた辻が、困り顔の三浦に声をかける。三浦は渡りに船と言った様子で、「それじゃあ、お願いできますか」と笑みを見せた。正子は三浦とともに家の裏手に回る息子を呆然と眺める。

刑事の半分近くが家の裏手にある離れに向かっていった。やはり捜査本部の中でも、もともと春日広大が住んでいたという離れの捜索を一番に考えているのだろう。

「はいはい、それじゃあ部外者はさっさとお引き取りくださいね」

桜井が僕たちを敷地から追い出そうとする。

「厳密に言うと、私は部外者じゃない。死亡したはずの容疑者が生きているかもしれなくて、その診断をしたのは私なんだから……」

鷹央が屁理屈を並べていると、家の裏手から「おおっ!?」という歓声にも似た声が上がった。反射的に桜井が振り向く。その隙を突いて鷹央は桜井の脇を抜けて走り出した。

「あっ、天久先生!?　ちょっと待って」

桜井が声をかけるが、鷹央は振り返ることもせず、家の裏手へと消える。桜井も慌てて鷹央を追っていった。一人残された僕は首筋を掻くと、仕方なく二人の後に続く。裏庭に着くと、鷹央が入り口から離れの中を覗き込んでいた。その隣にいる桜井も、鷹央を捕まえることなく、呆けた表情で室内を見ている。僕は鷹央の肩越しに部屋を覗き込んだ。そこに広がる光景を見て思わず息を呑む。

八畳ほどのスペースには新聞や雑誌が散乱し、部屋の隅には寝袋があった。まだ未開封のカップラーメンやレトルト食品がキッチンにいくつも置かれている。そして、何より目を引くのは注射器だった。糖尿病患者が使用する注射用インスリン製剤や、血糖測定用の注射針、それらがダイニングテーブルに散乱していた。

かなり乱雑な雰囲気の室内ではあるが、一見したところ埃が厚く溜まっているようなことはない。つい最近まで誰かが住んでいた、そんな様子だった。

「おい、あったぞ！」キッチンの棚を開けていた刑事が声を張り上げる。その場にいた全員の視線がそちらに集まった。

棚の中にはなにか黒いものが入っていた。目を凝らした僕はうめき声を漏らす。それは髪の毛だった。おそらくは女性のものと思われる長い黒髪が数束、輪ゴムでくくられて棚の抽斗に収められていた。

「……『戦利品』か」鷹央が険しい顔でつぶやく。「シリアルキラーの中には被害者の身体の一部を『戦利品』として持ち帰り、それを見て犯行時の興奮を反芻する奴もいるんだ」

あの一束一束が、殺害された女性から切り取られた髪……。気を抜くと、嘔吐(おうと)してしまいそうだった。そのとき、刑事に付き添われた正子が蒼白(そうはく)な顔で離れに近づいて来た。

玄関前にいた刑事たちが道を開ける。室内を見た正子は小さく悲鳴を漏らした。

「これはどういうことなんだよ！」室内の辻が、母親に気づいて怒声を上げる。「ここに誰が住んでいたんだ⁉」

「し、知らない。私は何も……」正子は助けを求めるように視線を彷徨わせる。

「知らないわけがないだろ。本当に兄貴が生きていて、ここに隠れていたのか？　それとも、俺の知らない兄弟がいるのか？　そいつが女の人たちを殺して、こんなものを持ち帰ったのか⁉」

辻は棚に収まっている髪の束を指さす。正子の体が大きく揺れた。そばにいた刑事が、慌ててその体を支える。

「本当に俺の兄弟は人殺しの怪物だったんだ……。母さんはそいつをずっと隠していたんだろ。そいつはいまどこにいるんだよ？　この近くに隠れているんじゃないか？　そいつが逮捕されたら、俺の人生はめちゃくちゃだ。全部母さんのせいだ。母さんが俺の人生を壊したんだ！」

いまにも母親に殴りかかりそうな剣幕で、辻は怒鳴り続ける。その様子を、正子は血の気の引いた顔で眺め続けた。

「刑事さん」辻は凍り付くような視線を母親に浴びせたまま言う。「母から話を聞いてください。絶対になにか知っています。きっと連続殺人鬼の正体も。母は気が弱いですから、尋問されれば全部話すはずです」

「章介……」

正子は息子の名を呼ぶ。辻は大股(おおまた)に玄関に向かい、靴を履くと、一瞥もくれることなく母親とすれ違った。

「自分のしたことをしっかりと償ってくれ」

そう吐き捨てて去っていく息子の背中を、正子は力のない表情で見送り続けた。

4

「おい小鳥、今晩、暇か？　暇だよな。恋人もいないお前が暇じゃないわけないな」

午後の病棟業務を終え、屋上にある鷹央の〝家〟の玄関扉を開けると、パソコンの前に座っていた鷹央が首だけ振り返り、ハイテンションで失礼なことをまくしたてた。

「……べつに予定はないですけど、恋人うんぬんは余計じゃないですか」

「でも事実だろ」

「その通りですけど、鷹央先生には関係ないでしょ」

「なに言っているんだ。私は上司として心配しているんだぞ。もう三十路なんだから恋人の一人や二人ぐらいいて当然だろ」

「二人いるのは当然ではないと思うんですが……」

あなただってアラサーで独り身じゃないか。僕は口に出したら命の危険がありそうなセリフを、胸の内で密かにつぶやく。

「この前の辻なんて、お前より若いのにもう結婚して子供までいるんだぞ。しかもすでに二回も結婚しているんだってよ。お前も少しは見習えよ」

「僕は結婚は一回にしておきたい派なんですけど……。それより何をするつもりなんですか？　本題に入ってくださいよ」

これ以上、漫才をしていても仕方がないので、僕は先を促す。鷹央に暇かと訊かれるということは、これから何かろくでもないことに付き合わされるということだ。この十ヶ月でそのことを学んでいた。

「『癒しの御印』だ」鷹央は椅子ごと振り返ると、両手を広げた。

「『癒しの御印』？　なんでしたっけ。最近聞いたような気がするんですけど……」

「ニワトリかよ、お前は。春日正子が入っていた霊能療法を行う教団だろ」

「ああ、あれですか。鷹央先生、まだあの件について調べていたんですか？」

辻の案内で春日家を訪れてから、すでに五日が経っていた。

「……当り前だろ」

鷹央の目が険しくなるのを見て、僕は失言に気づく。この人がそう簡単に、一度食らいついた〝謎〟から身を引くわけがない。しかも、今回の件は、自分が死亡診断をくだした男が連続殺人犯かもしれないのだ。そう簡単に引き下がるわけもなかった。

「い、いえ、けれど春日家の離れに、誰かが潜んでいたのは間違いないでしょ。あの母親の狼狽ぶりから見ると、きっとそいつが犯人ですよ。警察があの離れにあった証拠から犯人を捜し出してくれますって」

「警察はもう犯人を逮捕したのか……？」

低く籠もった声で鷹央がつぶやいた。その迫力に頬が引きつる。

「まだ逮捕できていないということは、今後も犠牲者が出るかもしれないということだ。もしかしたら、私の死亡診断が間違っていたせいでな。それなのに、警察に全部任せていいと思っているのか」

「思っていません！」僕は思わず直立不動になる。

鷹央は「分かればいい」と鷹揚に頷いた。

「けど、調べると言っても具体的にはどうするんですか。警察はあの離れを色々と調べているんでしょうけど、情報を漏らしてくれないでしょうし。春日正子もなにか知っていそうですけど、話をまた聞くのは難しいんじゃないですか」

たぶん、春日正子はいまごろ、警察から厳しい尋問を受けているだろう。

「だから全然別のルートから情報を集めるんだよ。それが『癒しの御印』だ」

「え？　でも、その教団って解散したんですよね」

「解散したといっても、教団員が全員この世から消えたわけじゃないだろ。解散前に幹部だった奴に話を聞けば、その教団がどういうことをしていたか分かるはずだ。もちろん、春日広大のことも含めてな」

「そうかもしれませんけど、元幹部に話を聞こうにも、どこにそんな人がいるのか分からないじゃないですか」

「もう分かってるぞ」

「え？　分かってるって、どうやって？」

「そういうことの専門家に依頼して、『癒しの御印』について調べてもらったんだよ」

目をしばたたかせる僕の前で、鷹央は得意げに胸を反らす。

「それって、探偵ってことですか？　そういうのって、かなりお金かかるんじゃ……」

「金なんて、使わなければ紙切れか通帳上の数字でしかないだろ。こういう重要なときは、糸目をつけずに使うべきなんだよ」

基本引きこもりで物欲の少ない鷹央にとっては、金よりも〝謎〟を解くことの方がずっと重要なのだろう。

「それで何か収穫があったんですか？」

「ああ、もちろんだ」

鷹央はにっと口角を上げた。

「代表の息子とコンタクトが取れた。これから話をしてもいいってよ」

東京都羽村(はむら)市の郊外を走る交通量が少ない道で、僕は愛車のRX－8を進めていた。

「『癒しの御印』は十二年ほど前に代表の火野寛元(ひのかんげん)という男が開いた教団だ。最初は『気』の力で病気の治療を行うなどとうたい、教団員を増やしていった」

助手席に座る鷹央が淡々と語る『癒しの御印』についての知識に、僕はハンドルを握りつつ耳を傾ける。

「ありがちですね。病気で苦しんでいる人の弱みに付け込んで教団員にする。そして、病状が改善したら自分のおかげ、改善しなければ信心が足りないって言うんですよね」

「たしかによく聞く話だな。ただ、代表に癒しの力があったかは置いといて、少なくともカリスマ性はあったみたいだぞ。どんどん教団員は増えていき、そしてそのうちに火野寛元は『永遠の命を持つ神』として祭り上げられた。最終的には死者すら甦らせることができると言われるまでになっている」

「完全な詐欺師ですね。そんな男を信じるなんて、僕には理解できませんよ」

僕は肩をすくめながらアクセルを踏み込んでいく。

「なんで言い切れるんだ。もしかしたら、本当に特別な力があったかもしれないぞ」

またはじまったか。鷹央の答えを聞いた僕は肩を落とす。どんなに常識的にはあり得ないことでも、鷹央はそれを頭ごなしに否定しない。あくまでもニュートラルな立場で検証を行い、その結果、真実を見出していく。それが彼女の流儀なのだ。

「けれど、その永遠の命を持っているはずの代表は、二年以上前に死んでいるんですよ。詐欺師に決まっているじゃないですか」

「確かに永遠の命は持っていなかったし、自分を癒す力もなかった。だからといって、他人を癒したり、甦らせたりする能力がなかったとは断言できないだろ」

「まあ、理論上はそうですけど……。鷹央先生は四年間も埋葬されていた春日広大が甦って、殺人を犯しているかもしれないって思っているんですか」

そんなの、ホラー映画の世界の出来事だ。

「その可能性も完全に否定はしていないぞ。あとは前も言ったように、四年前、何らかの薬物を投与されて仮死状態になっていただけで、実は春日広大は死んでいなかった可能性。または、春日広大、辻章介の他に記録にはない兄弟がいる可能性だな」

「最後の説が一番ありえそうですね」

「すぐに分かるさ。どれが正しいのか」

代表の息子から話を聞いただけで、そこまで分かるものだろうか？　僕は疑問をおぼえつつカーナビを見る。もうすぐ目的地だ。

「ああ、あそこみたいですね」

百メートルほど先に三階建ての巨大な白亜の洋館が見えてきた。そここそが、『癒しの御印』の代表であった火野寛元の息子の自宅らしい。僕は洋館の前の路肩にＲＸ－８を停める。エンジンを切ると同時に、鷹央は助手席の扉を開け飛び出していった。

僕も車を降りてあたりを見回す。道路沿いには畑や空き地が目立ち、その奥には小高い山影が連なっているこの地域に、巨大な洋館はいかにも不似合いだった。

鷹央は迷うことなく門扉に付いているインターホンを押す。すぐに気怠そうな男の声で返事があった。

『はい、どなた？』

「天久鷹央だ。メールで連絡しておいただろ」

『ああ、話を聞きたいって人ね。本当に来たんだ。いいよ、入ってくれ』

その言葉と同時に、門扉が自動的に開いた。鷹央は「よし、行くぞ」と胸を張って敷地に入っていく。僕も警戒しつつそのあとに続いた。まっすぐに洋館に向かっていた鷹央は、玄関前のロータリー状になっている場所に置かれた古いSUVを見つめていた。

「良い車ですね。でも、もう少し整備すればいいのに」

かなり汚れの目立つ足回りを見て、僕は顔をしかめる。そのとき、洋館の扉が開いた。

「おーい、なにやってんだよ。俺の話を聞きに来たんじゃないのかよ」

茶髪の男が、扉から顔を覗かせる。年齢は三十前といったところか。肩辺りまでだらしなく伸びた髪と、口元の無精髭が不衛生な雰囲気を醸し出している。

「ああ、そうだ。お前の話を聞きに来たんだ」

車から離れた鷹央は軽い足取りで玄関へと向かう。屋敷の中に入ると、茶髪の男は「とりあえず、ここで待ってて」と言って玄関の脇にある応接室へと通してくれた。

大理石の床には毛足の長い絨毯(じゅうたん)が敷かれ、本革製の高級感あふれるソファーが置かれているが、どうにも空気が埃っぽい。長い間、掃除をしていないのだろう。天井からぶら下がっているシャンデリアも、多くの電球が切れて十分な光量を保てていなかった。

「こんなものしかなくて悪いね。客なんてほとんど来ないもんでさ。あ、俺は火野寛太っていうんだ。よろしく」

部屋に戻ってきた火野寛太は、緑茶のペットボトルを渡してくる。

「私が連絡した天久鷹央だ。そして、こっちが部下の小鳥」

……あだ名で紹介するのはやめてくれないかな。

「小鳥遊優といいます」

僕が自己紹介すると、火野は「コトリ？　タカナシ？」と一瞬混乱した様子を見せるが、すぐに「ま、いっか」とつぶやいた。

「それであんたたち、親父の話を聞きたくて来たんだよな」

火野は僕たちの対面のソファーに勢いよく腰掛ける。

「ああ、そうだ。ぜひ教えてくれ」

「すみません、こんな夜分に急に押しかけて」

前のめりになる鷹央の隣で頭を下げると、火野は「いいって、いいって」と手をひらひらと振った。

「正直さ、親父に興味を持ってくれる人がいてちょっと嬉しかったんだよ。それに、こんな田舎にずっと一人でいてもさ、つまらないし」

「この大きな屋敷に一人で住んでいるんですか？」

僕が訊ねると、火野は自虐的に唇を歪めた。

「ああ、そうだよ。まあ、実際に使っている部屋は一つぐらいで、他は掃除も出来ていないけど。ここは『癒しの御印』の総本山だったんだよ。そう簡単に出て行けないさ。やることがあるからな」

「やること？」

「『癒しの御印』を再興することに決まっているじゃん。いまはこんなに落ちぶれているけどさ、また苦しんでいる人たちを『気』で癒して、教団員を増やしていくんだよ」

「いや、でも、代表はもう亡くなったんですよね？　誰が癒すんですか」

僕が訊ねると、火野は眉間にしわを寄せた。

「俺に決まってるじゃん。親父の息子なんだから、俺にも癒しの力は遺伝しているんだよ。親父も生きている頃は言っていたよ。『お前には俺と同じ力が宿っている』ってな」

この男、どこまで本気なんだ？　僕が呆れていると、火野は小さく舌打ちした。

「分かってるよ。死者も甦らせる力があるとか言っていたくせに、お前の親父は癌で死んだじゃないかって思っているんだろ。たしかに親父は『永遠の命』なんか持ってなかったし、自分の病気を治す力もなかった。自分が末期癌だって分かったら、みっともなく騒ぎ立てて、他の怪しい治療とかに金をつぎ込んだせいで教団が崩壊した。残ったのはこの屋敷と二束三文の土地、あと現金が少しだけだ」

火野は苛立たしげにまくしたてる。

「ただしな、親父に他人の病気を治す力があったことだけは本当なんだ。それこそ、本気になれば死者を甦らせることもできるぐらいな。そして、その力はこの俺に引き継がれている。だから、俺には『癒しの御印』を復活させる義務があるんだよ！」

火野は両手の拳を力強く握りしめる。そのとき、鷹央が「それだよ！」と声を上げた。

「その死者の復活だ。具体的にはどういう方法を取るんだ？　一度は埋葬するんだろ。お前は教団の幹部だったんだよな。それなら、その儀式に参加したこともあるんだろ」

好奇心で目を輝かせながら、鷹央は早口で訊ねる。

「ああ、もちろん。教団員やその家族が亡くなった場合、すぐに遺体を親父のところに運んで、そこで癒しの力を注入するんだ。そのあと、棺桶に入れて土の中に埋める」

「埋葬するのか？」

「埋葬じゃない。それもある意味、治療なんだよ。人間は一度死ぬと細胞がエネルギーを失う。その死んだ細胞に再び時間をかけてエネルギーを蓄積させないといけない。だから親父がエネルギーを注ぎ込んだ土地に埋めることにより、ゆっくりとエネルギーを貯めていって、数年かけて甦るってわけだ」

なに馬鹿なことを。死んだ人間の細胞は、防腐処理を施さない限り、微生物により分解され崩壊していく。それが自然の摂理だ。僕は火野を冷めた目で見つめる。

「春日広大にも同じ処置をしたのか？」鷹央は声のトーンを低くした。

「ああ、メールに書いてあった男だな。ちゃんとさっき記録を調べたよ。これによると、その男は四年前の七月二十八日に亡くなって、母親から連絡が入り、その後はマニュアル通りの処置が施されているな」

「マニュアル通りということは、すぐに生き返ったんじゃなく、棺桶に入れて埋められたということだな？」

「ああ、そうだよ」

火野はうなずくと、ジーンズから四つ折りにされた紙を取り出し、差し出してくる。受け取った鷹央は、それを一瞥するとソファーから立ち上がった。

「ここで間違いないんだな」

「間違いないって。それで、ちゃんと約束は守ってくれるんだろうな」

「もちろんだ。お前が父親から受け継いだという『癒しの力』が本物だと証明できたら、医師としてそれを大々的に宣伝してやる。患者も紹介してやってもいい」

鷹央が放ったセリフを聞いて、僕は目を剝(む)く。

「ちょ、ちょっと鷹央先生、それはいくら何でも……」

こんな怪しい教団を医師が、しかも統括診断部の部長にして天医会総合病院の副院長でもある鷹央が宣伝などしたら大問題になる。

「あくまで、本物だと確信できたらだよ。それより小鳥、行くぞ」

「え、行くってどこへ？」

僕が訊ねると、鷹央はにやりと唇に笑みを湛えた。

「今日のメインイベント会場だ！」

「あの、本当にこっちでいいんですか？」

何十回繰り返したか分からない質問を僕は口にする。辺りは鬱蒼(うっそう)とした森が広がり、ハイビームにしたヘッドライトがほとんど整備されていない道を照らし出している。RX－8の硬めの足回りが、凹凸の多い道からの揺れをダイレクトに臀部(でんぶ)に伝えてくる。

すでに三十分以上、この獣道のような通りを進んでいる。

「カーナビがこっちだって指示しているんだろ。それなら、大丈夫のはずだ」

助手席を思い切りリクライニングさせている鷹央は、目を閉じたまま言う。

本当かよ。このまま、遭難したりしないだろうな。不安に顔を引きつらせつつ、僕はハンドルを握る手に力を込めた。

数十分前、火野の屋敷を出て車に乗り込むと、鷹央は勝手にカーナビを操作して行き先を設定し、「ここに向かえ」と言った。そこは奥多摩の人里離れた山中だった。何度も「ここに何があるんですか？」「なんでこんなところに行くんですか？」と訊ねたのだが、そのたび鷹央は「内緒だ」と怪しい笑みを浮かべるだけだった。この状態になった鷹央には従うしかない。そのことをこの十ヶ月で学習していた僕は諦め半分にカーナビに従って愛車を走らせたのだが、いまはそのことを激しく後悔していた。

時刻は午後十一時を過ぎている。この調子だと、いつ帰れることやら。僕が肩を落としていると、カーナビから『まもなく目的地に到着します』という声が響く。

目的地って、ずっと獣道が続いているだけなんだけど……。

やっぱり本格的に遭難したのかと絶望しかけたとき、周りの森が途切れて開けた平地に出た。バスケットコートぐらいの土地の奥に、柵が見える。

これでなんとかUターンして帰ることはできる。遭難の危機を脱したことに安堵していると、リクライニングさせたシートに横たわっていた鷹央が、「着いたのか!?」

と上半身を起こす。フロントガラスの奥に広がる光景を見た鷹央は、にっと笑みを浮かべると後部座席に置いてあるリュックに手を伸ばした。病院を出る際、鷹央が持ち込んだものだ。そのとき何が入っているか訊ねたが、返ってきた答えは例のごとく「内緒だ」だったので、ろくでもないものが収められていることだけは確信していた。

リュックを手にした鷹央は、助手席の扉を開けて車外に出る。僕もグローブボックスから懐中電灯を取り出し、鷹央に倣う。

街灯一つないこの周辺は漆黒の闇に覆われ、懐中電灯の光が弱々しく感じられた。周囲の森から野生動物でも飛び出してきそうだ。

鷹央は膝丈まで伸びている雑草を見回すと、それらを踏みつぶしながら柵に向かって一直線に歩き出した。

「鷹央先生、ここはどこなんですか？　そろそろ教えてくれてもいいじゃないですか」

「すぐに分かるって」

鷹央は楽しげに言うと、柵の扉状になっている部分を押して開く。柵の奥にも雑草が生い茂り、ところどころに太い樹が生えていた。僕たちは雑草をかき分け進んでいく。

周囲を照らしていた懐中電灯の光が反射した。目を凝らすと、そこには直径十センチほどの鉄の棒が立っていた。

「あれって……」

僕は足元に気をつけつつ、その鉄の棒に近づいていく。すぐそばまで近づいて懐中電灯で照らすと、その棒には文字が彫られていた。

『No.36 佐藤忠治　死亡日　平成……』

それがなにを意味するか理解した瞬間、全身の産毛（うぶげ）が逆立った気がした。

「ぼ、墓標⁉」

「正確には墓標と言えないな。墓標とは墓に立てるものだろ。ここに埋められている者たちは、少なくとも『癒しの御印』が崩壊するまでは、将来的には甦るという前提だった。つまり、ここは墓ではなく、ある意味、治療場所だったということだ。もちろん法律上は墓地として登録されているだろうがな」

「じゃあ……ここってもしかして『癒しの御印』の……」

「そう、復活させるため死者を埋めておく『癒しの土地』だ。さっき会った代表の息子が引き継いだ数少ない財産の一つだな。まあ、こんな土地、誰も欲しがらないよな」

「こ、ここって、一応東京都内ですよね。そんなところに火葬もしていない遺体を埋めていいんですか⁉」

「ここは条例で土葬が禁じられている地域じゃないぞ。埋葬の許可さえあれば遺体を埋めることになんの問題もない。こんな山奥なら、近隣住民とのトラブルもないだろうし、教団が怪しい儀式を行うには理想的なロケーションだな」

鷹央は上機嫌に言う。さっき火野から受け取っていた紙には、ここの場所が書いてあったのか。僕は懐中電灯で周囲を照らした。この雑草に覆い尽くされた土地に、何十人もの遺体が火葬もされず埋められている。いまにも腐敗した遺体が地中から飛び出てくるような妄想に襲われ、背筋に冷たい震えが走る。

「た、鷹央先生、こんなところに来て何を……」

するつもりなんですか、と続けようとした僕は言葉を失う。鷹央がいそいそとリュックから取り出したものを見て。

それはスコップだった。折り畳み式の大きなスコップ。

墓地とスコップ。頭の中でおぞましい答えが浮かび上がる。

「墓を掘り返す気ですか！」

悲鳴じみた声を張り上げると、鷹央は慌てて唇の前で人差し指を立てた。

「でかい声出すな。誰かに聞かれたらどうするんだ」

「誰かに聞かれたら困るようなこと、しなければいいんです。そもそも、こんな山奥の、しかも大量の遺体が埋まっているような所に誰がいるっていうんですか⁉」

「ことわざにあるだろ。壁に耳あり、障子に目あり、そして地中に死体ありって」

「そんな恐ろしいことわざ、聞いたことない！」僕は両手で頭を抱える。

「まあ、冗談はここまでにして、さっさと行くぞ」

鷹央は僕のジャケットの裾を引っ張った。

「だから、行かないって言っているじゃないですか。墓を暴くなんてそんな罰当たりなこと絶対にしませんからね！」

「墓を暴く？　なにを言っているんだ？　私はこの土地の土壌調査をして、ここに人の細胞を活性化させるようなエネルギーが本当にあるか否かを証明したいだけだ」

さも心外だといった様子で、鷹央は眉根を寄せる。

「……本当にそれだけですか？　春日広大の遺体を掘り返したりはしないんですか？」

かすかな希望を込めて訊ねると、鷹央の唇の端が上がった。

「まあ、土壌調査の途中で誰かの遺体が出てきたりしたら、せっかくだからサンプルを少しだけいただくかもな。ほら、なんといっても火野が言っていたように、本当に細胞が活性化しているかどうか確認できるしさ」

「やっぱり、墓を暴く気じゃないですか！」

「人聞きの悪いことを言うな。土壌調査の途中で偶然、『春日広大』として埋まっている遺体を見つけて、体組織をほんの一部回収するだけだ」

「誰の遺体を見つけるか決めている時点で、それは偶然じゃありません！　墓を暴くなんて犯罪行為ですよ！」

「ほう、何の罪だ？」

「え？　なんの罪って……」

「犯罪だっていうなら、刑法何条に記載されている何の罪に当たるのか言ってみろよ」

「それは……」

僕が言葉に詰まっていると、鷹央はスコップを組み立てて肩に担ぎ、雑草をかき分けて進んでいく。

「あっ、ちょっと待ってください」

後を追おうとするが、夜目が異常に利く鷹央と違い、僕は懐中電灯で足元を照らしながらでないと進めないので、なかなか追いつかない。

「ちなみに、墓を荒らすだけなら刑法第一八九条の墳墓発掘罪。そのうえで墓の遺体の一部を回収すれば、刑法第一九一条の墳墓発掘死体損壊等罪だ」

紙を片手にずんずん前に進みながら鷹央がつぶやく。おそらく、そこに春日広大が埋められた場所が記してあるのだろう。

「やっぱり犯罪じゃないですか！」

「その遺体のＤＮＡを調べれば、埋葬されたのが春日広大なのか、それとも別人なのか分かるんだぞ。『真夜中の絞殺魔』の正体に近付けるんだ。調べない手はないだろ。それに、四年前に死んだ春日広大が最近になって生き返ったなら、遺体が消えて……」

突然、言葉を切った鷹央が大樹のわきで足を止めた。肩に担がれていたスコップが地面に落ちる。

「鷹央先生？　どうかしま……」

追いついた僕も体を硬直させる。目の前に広がっている光景に思考が停止した。

入り口からは大樹の陰になって見えなかった位置に、ちょうど人間が一人、横たわれるほどの穴が空いていた。

鷹央がふらふらと、数メートル先の穴に近づいていく。それを見て我に返った僕も、穴の縁まで進んでいった。懐中電灯で穴の中を照らす。思ったほど深くはなく、地面から五十センチほどのところに底が見えた。その部分に収まっているものを見て、喉の奥から小さな悲鳴が漏れてしまう。

穴の底には鉄製の棺桶があった。蓋が開いた空の棺桶。その光景はまるで、棺桶に封じられていた『何か』が蓋を開き、這い出たかのようだった。

僕は震える手で穴の向こう側に立つ鉄柱を照らす。

『春日広大』

鉄柱に刻まれたその名を見た瞬間、激しいめまいに襲われ、僕はたたらを踏む。

「死者の復活……か」

隣に立つ鷹央のつぶやきを、僕は立ち尽くして聞いた。

5

「私はちゃんとお願いしたはずですよね。今回の事件は、連続殺人事件なんだから興味本位で首を突っ込まないでくださいって」

桜井が引きつった表情を浮かべながら苦言を呈する。鷹央は露骨に興味なさげに「そうだっけか?」と耳をほじっていた。桜井のこめかみの筋肉がピクピクと痙攣する様子を、隣に立つ三浦が首をすくめて眺めている。

春日広大の埋葬されていた場所に『穴』を見つけたあと、僕たちは桜井に連絡を取った。最初はいつもの飄々(ひょうひょう)とした口調で電話に出た桜井だったが、僕たちがどこで何を見つけたかを理解するにつれその声はうわずり、最後には『絶対にそこから動かないでください。そして絶対になにも触らないでください!』と叫びながら電話を切った。

それからRX－8の中で一時間半ほど待っていると、大量のパトカーがサイレンを鳴らしながらあの獣道を上ってきた。誰よりも早くパトカーから飛び出してきた桜井は僕たちに近づくやいなや、「とんでもないことをしでかしてくれましたね」と普段より一オクターブは低い声で言ったのだった。

すでに警察の到着から三十分以上経っている。埋葬地には、『穴』の周りを中心にいくつも投光器が設置され、鑑識が証拠品の採取を行っていた。柵の外では十数人のスーツ姿の男たちが鑑識の証拠採取を見つめている。今回の連続殺人を捜査している刑事たちだろう。

さっきから刑事たちの多くが、こちらにちらちらと視線を送ってくる。その眼差しは一様に厳しく、自分たちが必死に追っているヤマに首を突っ込んでいる素人への敵愾心に満ちていた。僕は俯いて、全身に突き刺さる刃物のような視線に、必死に気づかないふりを決め込む。

「なんだよ、せっかく連絡してやったのに。おまえたちがさっさと遺体を調べないから、私がわざわざこんな山奥まで来てやったんだろ」

鷹央の恩着せがましいセリフに、桜井の表情筋が複雑に蠕動する。いつも嘘っぽい笑みを浮かべているこのコロンボもどきも、さすがに堪忍袋の緒が切れかけているらしい。

「もちろん、我々も調べるつもりでしたよ。けれど、遺体を掘り返すとなると倫理的な問題もあって、なかなか裁判官が首を縦に振らない。それを連続殺人事件の捜査にどうしても必要だと説得して、なんとか許可を得ようとしていたんです。その矢先に……」

「よかったじゃないか。私が先にここを調べたおかげで、裁判官を説得する手間が省けたんだから」

さらに神経を逆なでする鷹央の発言に、桜井は横を向くと深呼吸を繰り返しはじめた。十数回は深呼吸を繰り返したあと、桜井は疲労しきった顔で鷹央に向き直る。

「天久先生、あなた本当にそろそろ逮捕されますよ」

「なんで私が逮捕されるんだ？　私はこの土地の所有者の許可を得て、ここを調べていただけだ。何一つ法に触れることはしていないぞ」

Tシャツに包まれた薄い胸を張る鷹央を見て、僕は「墓荒らしするつもりだったくせに」と内心で突っ込みを入れる。そのとき、SUVが騒々しいエンジン音を立てながら山道を登ってきて、僕たちの近くで停まった。

「どういうことなんだよ。埋められていた死体が消えたって？」

SUVから火野寛太が降りてくる。土地の所有者ということで、連絡が入ったのだろう。黄色い規制線で囲まれ、鑑識が動き回っている埋葬地を見て、火野は声を荒らげる。

「おい、そこに勝手に入らないでくれよ。ここは神聖な場所なんだよ。埋めてある教団員の人たちがいつか甦るように、癒しのエネルギーを親父が……」

そこまで言った火野は、大樹の陰にある穴を見つけて目を剝いた。

「なんだよ、その穴は？　あんたたちが掘ったのか？　まさか、遺体を掘り出したわけじゃないだろうな。そんなことをしたら、せっかく細胞に溜まったエネルギーが消えちまうんだぞ！」

大股に規制線に近づいていった火野の前に、刑事の一人が慌てて立ちはだかる。

「違います。私たちが掘ったんじゃありません。遺体がなくなっていたんです」

「なくなっていた……」

呆然とつぶやいた火野は、体を傾けて刑事の体の横から埋葬地を眺める。火野の握った両手が細かく震えだす。やがてその震えは腕を駆け上がり、体幹、下肢、そして顔面へと波及していった。そのただならぬ様子に、火野の前に立っていた刑事が後ずさる。

「復活だ！」突然、火野が歓声を上げた。「やっぱり親父の力は本物だったんだ。死者が復活したんだ！」

興奮してまくし立てる火野に、まわりの刑事たちの視線が集まる。刑事たちの目には困惑と、そしてわずかな恐怖が浮かんでいた。

死者の復活。普通の状況ならそんな与太話、鼻で笑うだろう。特に、日々殺伐とした事件を扱っている刑事たちなら。しかし、いまは普通の状況ではない。

深夜、山奥にある埋葬地に巨大な穴が空き、棺桶に入っていたはずの遺体が消えているのだ。しかも、連続殺人事件の現場からは、四年前に死んだと思われている男のDNAが発見されている。ここまで気味の悪い条件が重なると、死者の復活もあり得なくはないような気がしてくる。辺りは蒸し暑いというのに、汗腺から噴き出してくる汗は氷のように冷たかった。

まだ興奮して「奇跡だ！」「これぞ癒しの力だ」などと叫んでいる火野の周りで、近くにいた刑事の一人が鑑識とこわばった顔で話しはじめる。その声が、かすかに僕の耳にも届いてきた。

「棺桶の中……DNAは残って……採取は……」

「燃えて……無理……たぶんガソリンを……」

おそらく、中にあった遺体のDNAが残っていないか棺桶を調べたが、ガソリンで火がつけられていて、証拠がほとんど消されているということなのだろう。

「まさか、本当に春日広大が生き返って、殺人を犯しているんじゃ……」

誰もが想像しつつも口に出さなかったことを、三浦がぼそりとつぶやいた。その瞬間、あたりの空気がざわりと揺れた。

「馬鹿なこと言ってんじゃねえ！　そんなことあるわけねえだろうが！」

年配の刑事が、三浦を一喝する。首をすくめた三浦が慌てて「すみません」と謝罪するが、すでに手遅れだった。ここにいる者たちの頭に、墓から這い出た遺体が夜な夜な女性を絞め殺しているという、おぞましいイメージが浮かんでしまった。そんなことあり得ないと自分に言い聞かせても、一度頭に染みついたイメージをそう簡単に消し去ることはできない。

この場の誰もが浮足立ちはじめていた。

たった一人、僕の隣にいる女性を除いて。

「さて、困ったな。本格的に死んだ男が容疑者になっちまったぞ。指名手配しようにも天下の警視庁が、四年前に死亡して最近墓から這い出てきた男を捜しているとは発表できないよな」

鷹央は歌うように言った。

「……楽しそうですね、天久先生。そんなに捜査が混乱しているのが面白いですか？」

桜井が湿った視線を投げかけてくる。

「なに言っているんだ。私は心から心配しているんだぞ。墓から死者が這い出してきたっていうオカルトなイメージに刑事たちがとらわれて、その結果、捜査に支障をきたしてしまうことをな。そんなことになったら大変だ」

　鷹央が大仰に両手を広げると、桜井は唇をへの字に曲げた。

「そんな取ってつけたようなセリフはいりません。いったい何を企(たくら)んでいるんですか。本題をおっしゃってください」

「それじゃあ、率直に言おう」鷹央は不敵に微笑(ほほえ)む。「私がこの場で『死者の復活』について、全ての謎を解いてやる。そのかわり……」

「……捜査の情報を寄越せ。そうですね？」桜井は声を潜めてつぶやく。

「さすがは桜井、話が早いな」

「この前も言ったでしょ。今回の事件の捜査には警視庁の威信がかかっているんです。外部に捜査情報を漏らすなと徹底されているんですよ。特に天久先生、あなたにはね」

「警視庁の威信なんかよりも、早く犯人を逮捕して、これ以上被害者を出さない方が重要なんじゃないか？　ここにいる刑事たちの反応を見たところ、犯人を特定できるような段階じゃないんだろ。この埋葬地で起こった件を放っておくと、さらに捜査が混乱して犯人逮捕が遅くなるぞ」

　桜井の表情に逡巡が走る。それを見て、鷹央は追い込むように説得を重ねていく。

「ここで起きたことのからくりが明らかになれば、犯人に繋がる証言を得られる可能性も高いんだ。つまり、捜査員たちの混乱を解消し、さらに新しい手がかりも手に入れることができる」

「……こんなところで、あなたと長々と内緒話をしたら、同僚に怪しまれます」

「べつにいますぐ情報を寄越さなくてもいい。お前のことは信頼しているよ。私が前払いで謎解きをしてやるから、お前は後日、私の所に来て、捜査本部が摑んでいる情報についてちょっと独り言をつぶやいてくれさえすればいいんだよ」

鷹央は小悪魔的な……というより悪魔的な笑みを浮かべて、桜井の腕を軽く叩いた。

桜井は動揺の色をありありと浮かべる同僚たちを見回すと、苦悩に満ちた表情で黙り込む。数十秒後、桜井は絞り出すようにつぶやいた。

「……すべては無理です。何の情報が欲しいんですか？」

悪魔の囁き(ささや)きに屈した桜井の前で、鷹央は「そうだな……」と腕を組む。

「まずは、春日家の離れの鑑識結果だ。抽斗に入っていた髪が被害者のものなのか、犯人があそこに潜んでいた証拠は見つかったのか。あとは、春日正子がどんな証言をしているかも知りたい。それでどうだ？」

桜井は鳥の巣のような頭を苛立たしげに掻きむしると、小声で「……分かりました」とつぶやいた。勝利の笑みを浮かべた鷹央は、柏手(かしわで)を打つように胸の前で手を合わせる。

「よし、交渉成立だ。さて、それじゃあ『死者の復活』の種明かしと行くか」

鷹央はあごを軽く反らすと、「復活した現場を見せてくれ」「写真を撮らせてくれ」などと興奮の声を上げながら規制線の中に入ろうとして、刑事に押しとどめられている火野寛太に近づいていった。

「いやあ、すごいな。本当に死人が生き返るなんて思わなかった」

鷹央に気づいた火野は、満面に笑みを浮かべる。

「おお、天久センセーじゃない。センセーが見つけてくれたんだろ、あれを」

火野は大樹の向こう側に空いた地面の穴を指さす。

「ああ、そうだ。春日広大が埋められている場所を確認するつもりが、とんでもないものを見つけちまったよ」鷹央はわざとらしく両手を広げる。

「センセーさ、春日広大って人がどこに埋まっているか調べたいって言ってきたじゃん。それってさ、もしかしたら最初からその人が復活しているかもしれないって思っていたからじゃないの?」

「まあ、そんなところだ。ただ、まさかこんなことになっているとはな」

この場のおどろおどろしい雰囲気には似合わないテンションの高い会話に、周りにいた捜査員たちの視線が集中していく。

「ちなみに、お前は遺体がなくなっていることに気づいていなかったのか？　この場所はお前の所有地だろ。定期的に見には来ていなかったのか？」

鷹央の質問に、火野は頭を掻く。

「実はさ、二年以上放置していたんだよ。いや、整備しなくちゃいけないことは分かっていたんだよ。けど、俺も色々忙しくてさ。それに、親父の力は特別なことをしなくてもここに残っていることは分かってたから」

「なるほど、しかしこれからはもっと頻繁に来るべきじゃないか？　お前は確か親父の能力を引き継いでいるんだよな。それなら、その力をこの土地に注いで、他の死者たちも甦らせる義務があるはずだ」

「おっ、いいこと言うね」火野は軽薄な仕草で鷹央を指さす。「それでさ、約束通りちゃんと宣伝してくれよ。患者の紹介とかも頼むぜ」

「ああ、もちろんだ」鷹央はあごを引くと、すっと目を細めて火野を睨め上げる。

「もしも、ここで起こったことが本当に『死者の復活』ならな」

「なんだよ。埋まっていた遺体がなくなっていて、そいつが生きている証拠かなにかがあるんだろ。まさに『死者の復活』じゃないか」

火野の声がわずかに上ずった。

「春日広大が生きている証拠があるなんて、誰が言ったんだ？」

「え？　そりゃ、あんたがさっき……」

「私は証拠があるなんて一言も言っていないぞ。ただ、お前が『復活しているって心当たりがあったんじゃないか？』って訊いたから、『そんなところだ』と答えただけだ」

「こ、心当たりがあるってことは、なにか証拠があるってことだろ。そう解釈しても別に変じゃないだろ」

「苦しい説明だけど、それはまあいいとしよう」

唇の端を上げると、鷹央は火野のSUVに近づいていった。

「さて、もしお前が『癒しの御印』とやらを再興するんなら、まずはこの車をどうにかした方がいいな。最初にお前の家で見たときから思っていたんだ。代表が乗るにはやんちゃすぎるし、そして何より……」

鷹央はSUVのタイヤまわりを指さす。

「あまりにも汚れすぎている。ちゃんと洗車して、証拠を消しておくぐらいのこともできないお前には、代表は無理じゃないか」

「……なに言っているんだよ、あんた？」

火野が低い声で言うと、鷹央は周囲のパトカーや、僕のRX－8を指さす。

「他の車を見てみろ。同じ山道を登ってきたにもかかわらず、ほとんど汚れていない。

それに比べてお前の車はどうだ」

　鷹央は車体の下部を指でこする。指にはべっとりと赤っぽい土が付着していた。

「固まった泥がこんなについている。おそらく、ぬかるんだ土地で乱暴に運転したんだろう。ちなみに、東京で最後にまとまった雨が降ったのは先週の土曜が最後だ。その日、お前は一人でここにやってきたんじゃないか？」

「ち、ちげえよ。これはピクニックに行ったときに……」

「どこにだ？　どこにピクニックに行ったときに付いたっていうんだ？」

　鷹央が鋭く訊ねると、火野は「いや……、それは……」としどろもどろになった。

「この車体に付いている粘土質の赤土はどこでも見るようなものじゃない。しかも、その土と一緒に野草が巻き込まれている」

　鷹央は指先の泥の中から、一本の野草をつまみ取る。

「この野草はイヌノフグリと呼ばれるもので日本の在来植物だ。近縁種で外来植物であるオオイヌノフグリなどに生息地を奪われたため現在ではあまり見なくなり、絶滅危惧（きぐ）種に認定されている。つまりどこにでも生えているというわけじゃない」

「な、何だよ？　その雑草がなんだって言うんだよ？」

　火野が脅しつけるように言うと、鷹央はその場でバレリーナのように一回転した。

「そのイヌノフグリがここには大量に自生しているんだよ。絶滅危惧種がここまで生えている場所はなかなかないぞ。ちなみにイヌノフグリという名前は、果実の形が犬のフグリに似ていることに由来する。フグリとは陰の……」

「その説明はいいですから、話を進めましょう」

僕は慌てて軌道修正させる。説明を遮られて一瞬頬を膨らませたあと、鷹央は火野の顔を下から覗き込む。

「二年以上もここに来ていないはずのお前の車に、なぜかここの土や雑草が付着していた。これはどういうことだ？」

「べ、べつにその土も雑草も、ここにしかないわけじゃないだろ」

「たしかに、絶対にここでしか付かないとは限らない。なら、いったいどこで付いたものなんだ？　さっきお前はピクニックに行ったときに車が汚れたと言ったな。その場所はどこなんだ？　ほら、さっさと言えよ」

鷹央は一歩足を踏み出す。押されるように火野は一歩下がった。鷹央は皮肉っぽく唇の端を上げると、左手の人差し指を立てる。

「さて、今回の件はまるで遺体が墓から這い出たような形跡があり、そのうえでその遺体のものと思われるＤＮＡが最近の犯行現場から発見されたからこそ、気味が悪い怪談じみたものに見えた。けれど、見方を一八〇度回転させれば怪談でも何でもなく、極めてつまらない事件でしかなくなるんだよ」

鷹央の声はそれほど大きくはないにもかかわらず、よく通る。いつの間にか、この場にいる全員の視線が鷹央に注がれていた。

「あの、一八〇度回転っていうのは、どういう意味ですか？」

近くに立っていた三浦が、おずおずと手を上げる。

「簡単だ、ここに埋められていた遺体が這いだし、ＤＮＡを犯行現場に残したわけじゃない。犯行現場に春日広大のものと思われるＤＮＡが残っていることを知ったある人物が、ここに埋まっている遺体の身元を隠すために、遺体を消し去ったんだ」

鷹央は鑑識の一人に視線を向ける。さっき、刑事に鑑識結果を囁いていた男だった。

「さっきお前、棺桶にガソリンか何かで火がつけられた形跡があるって言ったよな」

その場の雰囲気に呑まれたのか、男は「え、ええ……」と頷いてしまう。

「それは遺体を完全に焼いて、ＤＮＡを採取できなくするためだ。棺桶に付着していたＤＮＡも合わせてな。もちろん、遺体を運びやすくするためでもあったんだろう」

鷹央はこれで説明が終わったとでもいうように、満足げに胸を張った。

「ちょ、ちょっと待ってください。遺体を始末した人物っていったい誰なんですか？」

三浦が慌てて声を上げる。

「刑事なら、すぐに人に訊かないで、自分でも考えろよ」鷹央は冷たい眼差しを三浦に向けた。「その人物とは……春日正子だ」

鷹央が「春日正子」を名指しすると同時に、辺りにざわめきが起こった。それが消え去る前に鷹央は再び滔々と話しはじめる。

「この前の離れの状況を見ると、春日正子は『真夜中の絞殺魔』を匿っていたと思われる。『真夜中の絞殺魔』が春日広大なら、ここに埋まっていた遺体は別人のはずだ。逆に、ここに春日広大が埋まっていて、そのDNAが犯行現場に残されたものとは異なっていたとしたら、春日正子には三人目の息子がいたということになる。どっちにしろ、遺体を調べたら連続殺人犯の正体に一歩近づくことができたはずなんだ。だからこそ、お前たち警察も必死に裁判所を説得して、遺体を掘り返す許可を得ようとしていたんだろ。春日正子はその前に手を打ったというわけだ」

鷹央は周りの捜査員を見回す。いつの間にか、この場は鷹央の独壇場と化していた。

「ちょっと待てよ。そりゃちょっとおかしいぜ」

少し離れた位置に立つ中年刑事がダミ声を上げる。鷹央は横目でその刑事を見ると「何がだよ」と露骨に面倒そうに言った。

「春日正子は最重要参考人だったんだ。先週、家宅捜索に入ってから今朝まで、二十四時間体制で監視していた。その間に、こんなところまで来て、遺体を掘り返したりはしていない」

鷹央は「馬鹿かお前?」と鼻を鳴らす。中年刑事の顔がみるみる紅潮していった。

「春日正子が自分で遺体を始末したわけないだろ。六十歳を超えた女がこんな山奥まで来て、遺体を掘り返せると思うか？　実行したのは体力が十分にある若い男だよ。なあ、火野寛太君」

鷹央は火野に流し目をくれる。火野の顔に怯えが走った。

「先週、春日正子から指示されたんだろ。春日広大の遺体を掘り起こし、それを徹底的に焼いたうえ、誰にも見つからないところに捨てろって。正子はもともと『癒しの御印』の熱心な教団員だ。その幹部だったお前の連絡先を知っていても不思議じゃない」

火野は細かく首を左右に振るが、その口から反論の言葉は漏れてはこなかった。

「その男が遺体を始末したっていうのか？　何のためにそんなこと？」

中年刑事が眉根を寄せると、鷹央は両手を大きく開いた。

「この男にとっては一世一代の大チャンスだったんだ。おそらく春日正子は事件の内容は詳しくは説明せず、死んだはずの春日広大が、最近の事件の容疑者になっていることだけを伝えたんだろう。そして、こうそそのかした。『春日広大として埋まっている遺体を始末すれば、死者が復活したと思われて、また教団員たちが戻ってくる』ってな」

火野の体が細かく震えだす。鷹央の指摘が図星を突いていることは、傍目からも明らかだった。

「教祖だった父親が晩年に醜態をさらしたせいで、『癒しの御印』が崩壊し、うだつの上がらない生活を送っていたお前にとって、教団の再興は夢だった。そしてもし『死者の復活』という最高の奇跡を演出することができれば、その夢が実現するかもしれない。だからこそ、お前は春日正子の指示通りに遺体を掘り起こし、ガソリンをかけて徹底的に焼いたうえ、それを始末した。その際、先週の大雨でまだぬかるんでいたこの辺りで乱暴な運転をしたんで、泥と野草が付いたんだろうな。あとは誰かがこの埋葬地の惨状を発見し、マスコミが噂を聞きつけ、春日広大が甦って犯罪を犯しているという情報が広まればいい。そういえばお前、私が埋葬地について話を聞かせて欲しいと連絡を取ったとき、やけに簡単に面会を引き受けてくれたな。あれは、私たちがここの状況を発見してくれると期待したからだろ」

鷹央は話し疲れたのか、小さく息を吐くと、「なにか反論は？」と火野に水を向ける。

「な、なんだよ。車が汚れていたってだけで、なんでそこまで言い切れるんだよ。そもそも、俺が遺体を始末したって証拠でもあるのかよ？」

目を泳がせながら火野はかすれ声で叫ぶ。鷹央は火野のＳＵＶに近づくと、サイドウィンドウをコツコツと叩いた。

「お前、カーナビを付けているな。あれの履歴を見れば、最近ここにやってきたかどうかなんてすぐに分かるぞ。それに鑑識がこの車のボディに付いている土や植物を調べれば、ここのものかどうかはっきりする」

「そういうの調べるには、令状とかいうやつがいるんだろ！」

つばを飛ばしながら声を荒らげる火野に、桜井が近づいていく。

「えっと、たしか火野さんでしたっけ。私、警視庁の桜井といいます」

桜井はいつも通りのおっとりとした口調で話しはじめる。しかし、火野を見るその目は、獲物を狙う肉食獣のような危険な光を宿していた。

「たしかにあなたがおっしゃるとおり、令状がなければこの場で車を調べることはできません。けれど、あなたが拒否をすれば私たちはすぐにでも令状を用意します。それに、周辺のガソリンスタンドをくまなく調べて、あなたがポリタンクでガソリンを購入したりしていないかも調べますし、先週あなたの電話に春日正子さんから着信がなかったかも調べます。そして、あなたが遺体を焼いた疑いを固めた時点で逮捕します」

「た、逮捕⁉」火野の声が裏返る。

「なんだお前、そんな覚悟もなく墓を暴いたのか。お前のやった行為はれっきとした犯罪行為、刑法第一九一条の墳墓発掘死体損壊等罪だ。有罪になれば三ヶ月以上五年以内の懲役刑だな」

自分も同じ犯罪に手を染めるつもりだったくせに……。

「それに、場合によっては殺人事件の共犯になります」桜井がぼそりと付け加える。

「さつ……じん……」

薄暗い中でも、火野の顔から血の気が引いていくのがはっきりと見えた。

「ええ、詳しくは言えませんが、いま私たちが捜査しているのは殺人事件です。その捜査を故意に妨害したとなれば、あなたも共犯として捜査を受けることになりますね」

「ま、待ってくれよ。俺、殺人とかそういうことは知らねえよ。ただ、ここに埋まっている春日広大って奴の遺体を完全に始末したら、また『癒しの御印』を再興できるかもしれないって言われて……」

「天久先生がさっき説明したことを認めるということですね?」

桜井が念を押すと、火野はおずおずと頷いた。その瞬間、周囲で様子を窺っていた捜査員たちから、大きなざわめきが起きる。

「それでは火野寛太さん、あなたを墳墓は……はっけん? はっそう?」

桜井は首をすくめて「何でしたっけ?」と鷹央に向き直る。鷹央は「墳墓発掘死体損壊等罪だ」と呆れ声でつぶやいた。

「その容疑で緊急逮捕いたします。あなたには黙秘権があり、これからの発言は……」

うなだれる火野の手に桜井が手錠をかける。金属音が辺りに響き渡った。

火野がパトカーに乗せられて連行されていき、鑑識が火野のSUVを調べはじめる。さっきまで漂っていたおどろおどろしい雰囲気も、鷹央の謎解きによって幻のように消え去っていた。まさに、幽霊の正体見たり枯尾花といった状況だ。

「さて、夜も遅いし、私たちはお暇するとするか」鷹央があくびを噛み殺す。

「帰ってもいいんですかね？」

「私のおかげで火野っていう情報源を逮捕できたんだから、今回は警察署でネチネチと話を聞かれることもないだろう」

「そうですね。それじゃあ、帰りましょうか」

僕たちがRX－8に乗ろうとすると、桜井と三浦が近づいてきた。

「どうした。私と話しているのを見られるのはあまり良くないんじゃなかったか？」

鷹央が皮肉っぽく言うと、桜井は苦笑を浮かべる。

「あんなに鮮やかに謎を解かれて、私たちの仕事を減らしてくれましたからね。さすがにこの場にいる捜査員たちは多少なりとも、天久先生に一目置いていますよ。ちょっと話したぐらいで、情報を流しているなんて疑われることはありません」

「それでなんの用だ？　まさか署で話を聞かせろなんて言わないだろうな」

「言いませんよ。ただ、ちょっとお知らせしておきたいことがありまして」

「知らせておきたいこと。さっきの謎解きの報酬は後日で良いって言っただろ」

　鷹央のセリフを聞いた三浦が「報酬？」と首を傾けた。桜井は慌てて「なんでもない、本当になんでもないよ」と誤魔化す。

「まあ、火野の証言で、春日正子が遺体の処理を依頼したことがはっきりしたわけだ。これで、まだ参考人レベルだった春日正子を逮捕して、みっちり証言を取ることができるだろ。そうすれば、事件の真相に近付けるはずだ」

　鷹央が上機嫌で言うと、二人の刑事の顔に暗い影が差した。

「あの、どうかしたんですか？」

　僕が訊ねると、桜井は硬い表情で口を開く。

「春日正子から新しい証言をとることはできません」

「何でだ。遺体処理をネタに追い込めば、あの離れに誰がいたのかきっと……」

「亡くなったんです」

　鷹央の言葉に被せるように、桜井が言う。鷹央は「亡くなった？」と目を見開いた。

「……はい。今朝、自宅で首を吊っている春日正子の遺体が発見されたんです」

　陰鬱な桜井の声を、生暖かい夜風が掻き消していった。

6

「小鳥遊先生、大丈夫ですか？　なんか、顔色が青い……、というかもはや白いレベルなんですけど……」

午後六時、交代要員としてやってきた救急医の陣内が引きつった表情で言う。

結局、奥多摩にある埋葬地から今朝この天医会総合病院に戻ってきた頃には、時刻は午前五時を回っていた。金曜の今日、僕は午前八時から一日中救急部の勤務に当たっている。鷹央を屋上の〝家〟に送り届けたあと、空いている当直室でわずかに仮眠を取ってから勤務に臨んだ。しかし、何時間もの夜道の運転や不気味な埋葬地の捜索で疲労しきっていた心身がわずかな仮眠で回復するはずもなく、僕はヘロヘロになりながらハードな救急業務をなんとかこなしたのだった。

「ちょっと睡眠不足なんだ……。一晩中鷹央先生に引っ張り回されてね」

自分でもおかしくなるほど、僕の声は弱々しかった。

「えっ、鷹央先生と睡眠不足になるようなことを⁉」

陣内に引き継ぎを行おうとすると、疲れているときには一番聞きたくない声が響く。見ると、陣内の後ろから救急部ユニフォーム姿の鴻ノ池舞が現れた。

「やだ、小鳥先生、そんなグロッキーになるまで一晩中、鷹央先生となにやっていたんですか？」

鴻ノ池は近づいてくると、肘で脇腹をつついてくる。

「……なんでお前がここにいるんだよ？」

「あっ、今日は救急部の当直なんです。陣内先生、よろしくお願いします」

鴻ノ池は普段通りの明るい声で言うと、ぺこりと頭を下げる。

「陣内君、引き継ぎはじめていい？ いま第一ベッドに寝ているのは七十六歳の肺炎の患者さんで、すでに呼吸器内科に入院が決まって、もうすぐナースが……」

僕が淡々と患者の情報を陣内に伝えだすと、鴻ノ池はきょとんとした表情になる。

「あ、あの、小鳥先生。いつもの突っ込みはないんですか？」

「……飽きた」

「へ？ 飽きたって？」

「ちゃんと突っ込んでほしいなら、そろそろ新しいネタを考えて来い。ということで陣内君、あとは任せたから」

引き継ぎを終えた僕は重い足を引きずって救急室をあとにする。背中から「そんなご無体なー」という鴻ノ池の声が響いてきた。

反応する余裕もないほど疲弊したのでスルーしてみたのだが、天敵に想定外のダメージを与えたようだ。この戦法はなかなかいいかもしれない。

そんなことを考えながら僕は屋上へと向かう。重い鉄の扉を開いて屋上に出た僕が、自分のデスクがあるプレハブ小屋へと歩いていると、〝家〟の玄関扉が開いた。

「おお、小鳥、やっと救急の仕事終わったか。じゃあ……」

「お断りします」鷹央に視線を向けることなく、はっきりと言う。

「……まだ何も言っていないだろ」

「どうせ、またどこかに連れて行けとか言い出すんでしょ。今日は絶対に行きませんからね。ほとんど徹夜したあと、一日中救急部で勤務していたんですよ。さすがに限界です。今日はこのまま帰って寝ます」

「おや、小鳥遊先生はお帰りになるんですか？」

聞こえてきた男の声に、僕は足を止めて〝家〟を見る。鷹央の後ろから、鳥の巣のような頭をした中年刑事が顔を覗かせていた。

「桜井さん？　こんなところで何を？」

「何をって、昨晩約束させられたじゃないですか。『死者の復活』の謎を解いてやるから、捜査情報を流せって。というわけでやって来たんですよ」

「小鳥も話を聞きたいだろうと思ったから、この時間を指定してやったんだが、余計なお世話だったみたいだな。いいぞ、ほれ、さっさと帰れ」

鷹央は虫でも追い払うように手を振る。

「いや、話を聞くだけなら、せっかくですから……」

昨晩、あれだけ苦労したのだ。その結果、どんな情報が手に入れられるのか、あの春日家の離れから何が発見されたのか興味があった。

「なに言っているんだ。限界なんだろ。そんな奴をこきつかうのは上司として気が引けるからな。話は私だけで聞いておいてやるよ。もちろん、聞いた情報は何一つ、お前には教えないけどな」

不機嫌に言うと、鷹央は玄関扉を勢いよく閉めた。重い音が屋上に響き渡る。完全にへそを曲げてしまったようだ。

しかたがない、こうなったら秘密兵器を使うしかないか……。僕はため息をつきながら〝家〟の裏手にあるプレハブ小屋に入ると、デスクのそばに置いてある小型の冷蔵庫を開ける。

「今日の機嫌からすると、やっぱりこれかな?」

中から『秘密兵器』を三つ取り出した僕は、再び〝家〟の玄関前に向かう。玄関扉のノブを引くと、珍しく中から鍵がかかっていた。

「鷹央先生、開けてください。僕も話を聞きますから」

「うっさい！　さっさと帰れ！」扉越しに怒声が響いてくる。

「そんなこと言わないで開けてくださいよ」

僕は手に持った『秘密兵器』に視線を落とす。

「せっかくアイスクリームを持ってきたんだから。食べながら話を聞きましょうよ」

一瞬の沈黙、そして室内を走る音が近づいてきて、扉がわずかに開いた。隙間から鷹央が顔を覗かせる。

「……銘柄は？」

「ハーゲンダッツです」

僕は手にした『秘密兵器』、ハーゲンダッツのアイスクリームを差し出す。

数ヶ月前から僕は、鷹央が機嫌を損ねた際の対応策として、自分のデスク脇の冷蔵庫に菓子やアイスクリーム等を（鷹央に漁られないように内緒にして）常備するようになっていた。そして、鷹央の機嫌の具合を見て、どれを使うか判断するのだ。ちなみに鷹央の好物であるハーゲンダッツのアイスクリームは、最も破壊力のある『秘密兵器』の一つだった。

僕の手にあるアイスクリームの容器を見て、鷹央の顔が細かく震える。好物を目の前にして緩みそうな表情を必死に固めているのだろう。相変わらず分かりやすい人だ。

「ま、まあ、よく考えたらあれだけ山道を運転させたお前に、話を聞かせないのもかわいそうだな。ほら、入っていいぞ」

早口で言うと鷹央は玄関扉を大きく開けた。僕は部屋に無数に生えている〝本の樹〟を避(よ)けながら進むと、ソファーの前に置いてあるローテーブルに三つのアイスの容器を置く。一人掛けのソファーには、苦笑を浮かべた桜井が腰掛けていた。

「三つとも私が食べていいのか」近づいて来た鷹央が、はしゃいだ声で言う。

「そんなに食べたらお腹(なか)壊すでしょ、一つだけです。その代わり、どの味かは先生が最初に選んでいいですよ」

「そうか……、三つの味から一つしか選べないんだな……」

鷹央は難しい謎を解くときのように、いやそれ以上に真剣な表情になると、並べられた三つの容器を凝視する。数十秒の熟考の末、鷹央は「これにする」とチョコミント味を選び、スプーンを取りに軽い足取りでキッチンへと向かった。

「桜井さんはどちらが？」

ソファーに腰掛けた僕は、バニラ味とストロベリー味が残ったアイスを指さす。

「それではストロベリーを頂きます。しかし、なんというか、猛獣使いが板についてきましたねぇ」

「まあ、もう付き合いも十ヶ月になりますからね」

そんなことを話していると鷹央がスプーンを持って戻ってきた。勢いよく僕の隣に座った鷹央は、満面に笑みを浮かべてアイスクリームをぱくつきはじめる。僕と桜井もアイスに手を伸ばした。

「そう言えば、今日は三浦刑事は一緒じゃないんですか？」

バニラアイスを口に運びながら訊ねると、桜井は小さく肩をすくめる。

「さすがに、こんな裏取引の現場に純真な若者を連れてはこれないですよ。彼には関係者への聴取に回ってもらっています」

「特別捜査本部が立つような事件の捜査では普通、警視庁と所轄の刑事がペアで動くものじゃないんでしたっけ？」

「基本はそうなんですけどね。私の捜査はなんというか……王道とは外れていることがままあるので、分かれて捜査に当たることも多いんです」

アイスを食べて頭痛が走ったのか、桜井はこめかみを押さえる。

「若い刑事に悪い見本を見せるわけにはいかないですからね」

「そんなところです。ただ、その悪い見本が事件の解決に貢献することも少なくないんですよ」

僕の皮肉に桜井が唇の端を上げると、鷹央が「よし、それじゃあはじめるぞ」と高らかに宣言した。見ると、いつの間にか鷹央のアイスの容器が空になっている。僕と桜井が話をしている間に、一気に掻き込んだらしい。

「そうですね。それじゃあ、まずは逮捕された火野寛太についてお伝えしましょうか」

桜井はアイスを一口食べると、唇を舐める。

「火野の行動は天久先生の指摘した通りでした。先週の土曜、つまり我々が春日家に家宅捜索に入った日の深夜に春日正子から電話があったらしいです。参考人として取り調べられて、帰宅した直後に電話したんでしょう。春日広大として埋められている遺体を完全に始末すれば、『癒しの御印』を復興できるとそそのかされたらしいです。それで、一も二もなく指示通りの行動に出たということでした」

「あの埋葬地に行って棺桶を掘り起こし、中に入っていた遺体を燃やしたんだな」

「はい、ほとんど白骨化した遺体が入っていたんで、それにガソリンをかけて徹底的に燃やしたらしいです。火が消えた頃には、骨も原型を留めないぐらい崩れていたということでした。その証言を裏付けるように、鑑識が棺桶の内側から、燃えた人骨の破片と思われるものをわずかに採取しています。ただ、完全に焼けていて、そこから身元を確認するのは難しそうです」

「燃やしたあとに残った骨はどうしたんだ？」

「できる限り回収して、多摩川に捨てたということです。一応、遺棄地点の川を捜索する予定ですが、まず何も見つからないでしょうね。どうやら、それも春日正子の指示だったようです。歯型などから身元が割れるのを防ぎたかったんでしょう」

「徹底しているな」

頷いた鷹央は、そっと僕の食べかけのアイスに手を伸ばしてくる。僕はその手を軽く叩くと、桜井を見る。

「昨日、春日正子は首を吊ったんですよね。それって、自殺で間違いないんですか？」

桜井は渋い顔で残っていたアイスを口に入れる。

「はい、状況からも解剖の結果からも間違いないということです。『真夜中の絞殺魔』があの離れに戻ってくる可能性もあったので、二十四時間体制で春日家を監視していましたから。司法解剖でも、自殺による首吊りに特徴的な所見だと報告がありました。それに、遺書も残っていました」

「遺書にはなんて？」

「『すべて私の責任です　どうか私をゆるしてください』。それだけです」

「なにが自分の責任なんでしょう？」

「火野に遺体の始末を頼んだことか、それ以外についてなのか、正直分かりません」

「警察は自殺する前に、春日正子からなにか重要な証言は得られなかったのか？」

まだちらちらと横目で僕のバニラアイスを狙いつつ、鷹央が訊ねる。

「手練れの刑事が尋問しましたが、有用な証言は得られませんでした。長男の春日広大は四年前に死んだ。離れに誰かがいたなんて全く気付かなかった。自分の子供は、春日広大と辻章介の二人しかいない。ひたすらそう繰り返すだけでした」

陰鬱な桜井の報告を聞きながら、僕は残っていたアイスをすべて口に押し込む。これで鷹央も集中力散漫にならないだろう。一瞬、絶望の表情を浮かべたあと、鷹央は気を取り直したように腕を組んだ。

「少なくとも『癒しの土地』に遺体が埋まっていたことは間違いない。そして遺体は燃やされた。つまり、四年前に死んだ人間が土の中から甦って、殺人を犯していると いう可能性はなくなったわけだ。さて、それじゃあ今日のメインディッシュといくか」

鷹央は本当にご馳走(ちそう)が目の前に運ばれて来たかのように舌なめずりをした。

「約束通り教えてもらおうか。春日家、そしてその離れで何が発見されたのか」

桜井は肩をすくめると「約束ですから、仕方ありませんね」と話しはじめた。

「まず、あの離れからは主に三人分のDNAが発見されました。春日正子、辻章介、そしてもう一人、春日正子とは親子関係、辻章介とは兄弟関係にある人物のDNAが。そのDNAは連続絞殺事件現場で発見されたものと一致しました」

「あの離れに『真夜中の絞殺魔』が潜んでいたんだな」鷹央は前のめりになる。

「ええ、そう思われます。寝袋に付着した皮膚、放置されていたインスリン注射の針に付いた血液などからも、その人物のDNAが検出されています」

「だからといって、その人物が糖尿病だとは限らない。もしかしたら、中身のインスリンは捨てて、針だけ刺していたのかもしれない」

「偽装工作ということですか。その可能性は否定できませんね。たしかに、あの離れは普通に生活していたにしては遺留品が少ないんですよ。飲食した際のゴミなどもありませんでした。なのに、使用済みの医療用品は残してあるなんて、おかしい気もします」

「出来るだけ痕跡を残さないよう、飲食物は食べ終わったら捨てていたのかもな。ただ、インスリンは一本を数日から数週間かけて使用するから、そういうわけにはいかず置いたままだった」

「そういう考え方もできますね。なんにしろ、『真夜中の絞殺魔』のものと思われるＤＮＡがあの離れから発見されました。これでよろしいでしょうか？」

桜井は媚びるような笑みを浮かべる。

「よろしいわけないだろ。抽斗に隠されていたあの髪についても教えろ。あれは被害者のものだったのか？」

鷹央が声を低くすると、桜井の表情は硬度を増した。

「……ええ、確認できました。あそこに収められていた髪の束は、全て連続絞殺事件の被害者のものでした。しかも、今年に入ってからの被害者だけでなく、四年前の被害者のものもありました。さらに……」

桜井は言葉を切る。その顔に痛みをこらえるような表情が浮かんだ。鷹央が「さらになんだよ」と促すと、桜井は声を潜める。

「被害者たちの髪から……精液が採取されたとのことです。DNAから、犯人のものと確認できました」

あまりのおぞましさに吐き気をおぼえ、僕は口を押さえる。

「……この手のシリアルキラーは、犯行に性的興奮をおぼえていることが多い。被害者の髪を切ったのは、安全な場所で犯行の快感を反芻するためか」

鷹央が陰鬱につぶやいた。それほど冷房が効いているわけではないのに、全身に鳥肌が立つ。

「離れの件は分かった。母屋の方にはなにかなかったのか？」

鷹央は淡々とした口調で促した。

「母屋は二年前に辻さんが賃貸に出すために専門業者によるクリーニングを入れ、その後は春日正子が一人で住んでいましたので、あまり収穫はありませんでした。ただ一つを除いて……」

「一つを除いて？　いったい何が見つかったんだ？」

「以前、母屋の居間の壁に小さな穴が開いていたらしいんですよ。それが時間をかけてじわじわ大きくなるんで、六年前に近所の工務店に頼んで塞いでもらったということです。工務店側の記録も確認できました。今回の家宅捜索の際、鑑識がそこの壁の奥も調べたいと言い出しまして、春日正子は反対したんですが、辻さんが許可を出したので、壁を崩させてもらいました」

「壁に補修した跡があったから、何か隠されているかと思ったんだろうな。それで、特別なものは見つかったのか？」

「いえ、紙くずやビニールなどのゴミばかりだったようです。ただ、その中に血のついたカッターナイフがありました」

「血のついたカッターナイフ⁉」

僕が思わずソファーから腰を浮かすと、桜井は軽く手を振る。

「血と言っても、一、二滴程度といった量です。しかも小学生が図工で使うような小型のカッターなんで、おそらく段ボールでも切ろうとした際に、誤って自分の手を軽く切ったかなにかしたんでしょう」

なんだ、その程度のものか。再びソファーに腰を下ろした僕の隣で、鷹央があごを引き、桜井を睨め上げる。

「問題は、その血液のＤＮＡか？」

「ええ、その通りです。古い血液でかなり劣化していましたが、なんとかＤＮＡが採取できました。『真夜中の絞殺魔』と同じＤＮＡが」

「え⁉　それじゃあ……」

六年間、春日家の壁に埋まっていたカッターから、連続殺人犯のＤＮＡが発見された。六年前と言えば、父親が死んだので春日広大がときどき家に入れるようになっていたはずだ。ということは……。僕は必死に頭の中を整理する。

「それじゃあ、やっぱり犯人は春日広大じゃないですか⁉」

もし辻章介に、記録にはなく、さらに辻本人も存在を知らない兄弟がいたとしても、春日家に入り込んでいるとは思えない。やはり第三の兄弟など存在せず、春日広大こそ『真夜中の絞殺魔』なのだ。

「我々もそのカッターに付いた血液は春日広大のものだと思っています。ただ、だからと言って、春日広大が『真夜中の絞殺魔』だと決めつけたわけじゃありませんよ」

桜井のセリフを聞いて、僕は眉根を寄せる。

「なに言っているんですか？　いま自分で言ったでしょ、カッターに付いていた血液のＤＮＡが犯人のものと一致したって。カッターの血が春日広大のものなら、彼が『真夜中の絞殺魔』ってことになるじゃないですか」

桜井の表情がゆがむ。その顔には露骨に、「しまった、喋りすぎた」という後悔が浮かんでいた。

「そうせいじ……か」鷹央がぽつりとつぶやく。

「え、ソーセージ？　お腹すいたんですか？」

「お前の頭は空洞か？　なにも詰まってないのか」

身を乗り出した鷹央が、ぽかぽかと僕の頭を叩いてくる。

「スイカじゃないんだから、音で詰まり具合を確認するのやめてください！」

「犯人と同じＤＮＡを持っている奴がいるのに、警察はそいつが犯人じゃないかもしれないと思っているんだぞ。これが何を意味するか、まだ分からないのか？」

犯人のＤＮＡを持っているのに、犯人とは限らない？　犯人のＤＮＡを持っている人間が複数いる？　そこまで考えたとき、僕は「あっ！」と声を漏らす。

「一卵性双生児！」

「ようやく分かったか。なぁにがソーセージだ。とぼけたことほざきやがって」

吐き捨てるように言う鷹央の前で、僕は体を小さくする。（さっきまでアイスを与えていたので一時的に機嫌が良かったが）今日の鷹央はなにやら機嫌が悪そうだ。こういうときは、あまり刺激しない方がいい。

触らぬ神に祟りなしとは言い切れないが、触ったときに比べれば全然ましなのだ。

「警察はそのＤＮＡに加えて、聞き込みで春日広大が双子だったっていう情報も得た。だが、それだけの証拠を見つけているにもかかわらず、『真夜中の絞殺魔』が春日広大なのか、それとも記録にはない三人目の兄弟なのか決めきれずにいる。そうじゃないか?」

鷹央に水を向けられた桜井は、少し躊躇(ためら)うそぶりを見せたあと口を開いた。

「我々は、まだ存在するかは不明ですが、その第三の兄弟を『X』と呼んでいます」

「Xかよ、ありきたりだな。まあいい、捜査本部はおそらく、二つのケースを想定しているはずだ」

鷹央は左手でピースサインを作る。

「まず、四年前に死んだのはやはり春日広大で、その後、連続殺人犯であるXが実母の春日正子にコンタクトを取り、あの離れを使わせてもらっていたというパターンだな。もちろんあり得ない話ではないが、いまいちしっくりこない。理由は不明だが、辻が知らなかった以上、Xが春日家で一緒に暮らしてはいなかったのは間違いない。今回、春日正子は火野を使って埋葬されていた遺体を始末させ、最後には自らの命を絶ってまで離れにいた人物を守っている。実の息子とはいえ、突然現れた連続殺人犯のために、そこまでするとは思えない」

桜井は答えないが、鷹央は構わず中指を曲げ、人差し指を一本だけ立てる。

「もう一つは、四年前に私が死亡診断をくだしたのが、春日広大じゃなくてXだったというパターンだ。一卵性双生児は基本的に、外見が極めて似ている。私はもちろん、弟の辻でさえも騙せた可能性はある」

鷹央は桜井に問いかけるような視線を送る。

「捜査本部の考えについてはお伝えすることはできません。ただ、一つ付け加えるなら、火野の自宅を家宅捜索したところ、『癒しの御印』の記録を押収することができました。そこには、『癒しの土地』に埋葬する直前の信者たちの遺体の写真も載っていました。もちろん春日広大として埋められた遺体も」

「それは春日広大本人の遺体だったのか?」

「少なくとも、外見上は春日広大に見えました」

「外見上はという言い回しから見ると、やはり捜査本部は春日広大には一卵性双生児の兄弟がいると考えているな。四年前死んだのはそいつで、春日広大は生きている。そうふんでいるんだろ?」

桜井は小さく肩をすくめるだけでなにも答えない。しかし鷹央は気にすることなく、滔々と語り続ける。

「四年前、春日広大は歪んだ欲望から三人の女性を絞め殺した。それに気づいた母親の春日正子は、このままではいつか溺愛する息子が逮捕されると思い、身代わりに一卵性双生児のXを使うことを思いついた。きっと、Xの近況ぐらいは知っていたんだろうな。そして、春日親子はXを殺害したうえで、春日広大として救急要請をした」

「ちょっと待ってください」僕は横から口を挟む。「春日広大はI型糖尿病患者で、腹部や太ももに日常的にインスリンを注射していた痕があったはずです。鷹央先生が見た『春日広大』には、その痕があったんですよね。それって、すぐに作れるものじゃ……。それに、解剖はしなかったとはいえ、鷹央先生が他殺だと見抜けないように殺害するのもかなり難しいと思うんですけど」

　僕の指摘に鷹央はあごを引いた。

「I型糖尿病の発症には遺伝要因もかかわっていると言われている。一卵性双生児の場合、一方がI型糖尿病だと、もう一方にも高率で発症するとされている。つまり、XがI型糖尿病患者で、日常的にインスリン注射をしていても全くおかしくないんだ。そして、生存のために必要なインスリンは使い方によっては凶器にもなる」

「……インスリンの過剰投与ですね」

　鷹央が何を言いたいかに気づき、僕は押し殺した声でつぶやく。

「そうだ。インスリンは血中の糖分を脂肪や筋肉細胞へと送り込むホルモンだ。それが過剰投与されれば血中の糖分が低下しすぎ、低血糖発作を起こす。ブドウ糖しかエネルギー源として使用できない脳の機能が低下し、重症になれば致命的にもなる」

　鷹央は桜井に視線を向ける。

「大量のインスリンを投与することによってXを殺害した春日広大は、こうして社会的に死んだことになり、連続殺人犯の疑いを受けることはなくなった。春日正子が

『癒しの御印』に連絡して普通の葬儀を行わなかったのは、できるだけ遺体と辻を接触させないようにし、それが兄ではないことに気づかせないためだろうな。その後、春日広大はXとなり替わったのか、それとも身元を隠してかは分からないが、母親の援助のもとに生活していた。しかし、最近になり自らの内側から湧き上がるいびつな衝動に耐えきれなくなり、再び殺人を犯しはじめたんだ。春日正子が遺体を徹底的に始末させたのも、歯型などから遺体が春日広大ではなく、Xだと気付かせないためと考えれば矛盾はない。警察はこう考えているんだろ？」

鷹央に再び水を向けられた桜井は、数秒間黙り込んだあと鳥の巣のような頭を掻く。

「天久先生、取引では春日家から見つかった証拠と、春日正子の証言について教えるということで話がついていたはずです。それ以上の情報は漏らすことはできません」

「硬いこと言うなよ。もっと私に情報をくれれば、捜査本部が気づいていない手がかりを見つけられるかもしれないだろ」

「言ったでしょ。今回の事件は警視庁の威信がかかっているって。絶対に我々が犯人を逮捕します。ご協力の申し出、感謝いたしますが、お断りさせていただきます」

桜井は慇懃に言う。しかし、その声にはわずかに迷いが感じられた。

「警視庁の威信なんかより、ずっと大切なものがあるだろ」

「……分かっています。ただ、もはやこの段階に来れば、必要なのはマンパワーです。

大量の捜査員が昼も夜もなく駆けずり回っています。間もなく犯人を逮捕できます」

「間もなくとはいつだ？　時間がないぞ、本当に間に合うのか？」

時間がない？　首を傾げる僕の前で、桜井は唐突に立ち上がると、「全力を尽くします」と頭を下げ、大股に玄関に向かっていった。玄関扉が閉まる音が室内に響く。

「馬鹿が……」

鷹央は拳を握りしめると、ゆっくりと首を左右に振った。

7

翌日の午後八時過ぎ、しとしとと雨が降りしきる中、礼服を身に纏った僕はビニール傘を差して住宅街を歩いていた。道を曲がって顔を上げると、先日訪れた春日邸が視界に入ってきた。僕はため息を漏らしながら進んでいく。

昨夜は久しぶりに十分な睡眠をとれたので、疲労は解消している。しかし、これから行わなければならないことを思うと、どうにも足が重かった。

春日邸の前に到着すると『故　春日正子　式場』の看板が立っていた。玄関わきに設置されているテントには机が置かれ、記帳ができるようになっている。若い男性が二人、受付として立っていた。僕は「このたびはご愁傷様です」と懐から取り出した香典を彼らに渡すと、記帳をして家の中に入る。

受付も間もなく終わろうとしている時間のせいか、それとも元々やってくる者が少なかったのか、家の中はがらんとしていた。僕は壁に貼られている矢印を頼りに進んでいく。開いている襖をくぐると、正面に焼香用の祭壇があり、親族の席には辻章介とおそらくは春日正子の姉妹であろう老齢の女性の、二人だけが俯いて座っていた。僕の気配に気づいた辻が顔を上げ、少し驚いた表情を浮かべる。

僕だってもともと来るつもりなんてなかったのだ。しかし、今日の昼下がり、自宅でダラダラと海外ドラマを見ていたら、いきなりスマートフォンに鷹央から着信があった。せっかくの休日だし無視しろよと、頭の中で悪魔が囁いて来たが、電話に出なければ、あとあとネチネチと絡まれて面倒なことになる。天使の囁きではなく、これまでの経験則が僕の手をスマートフォンへと伸ばさせた。

回線が繫がるや否や、鷹央は「お前、今日これから春日家に行け。春日正子の通夜が行なわれているらしい」と言い出した。

「一度押しかけただけの僕が、通夜に行くのもなんかおかしいですよ」

そう答えた僕に、鷹央は「春日正子を弔うのが目的じゃない」と、指示を出してきた。正直、あまり気乗りしない指示を。

普段なら、貴重な休日の時間を守るために、（ほとんどの場合は無駄に終わる）抵抗を試みただろう。しかし僕は、電話越しに聞こえてくる鷹央の声に明らかな焦燥を感じ取り、引き受けてしまった。そもそも昨日、桜井と話をしたときも、いやそれ以前にこの数日間、鷹央は苛つき焦っていた気がする。

昨日の桜井の報告で、鷹央が間違った死亡診断をくだし、その人物が甦って殺人を犯している可能性はほとんどなくなった。『真夜中の絞殺魔』は春日広大、またはその一卵性双生児であるXだと警察は考え、現在、大捜査網を敷いている。犯人はまもなく逮捕されるだろう。なのに、鷹央が何をあんなに焦っているのか、僕には分からなかった。

まっすぐ進んでいくと、僕は形式通り親族に一礼したあと祭壇に近づく。棺桶に収められている春日正子は、どこか満足げに見えた。

あなたは一体なんのために、埋葬されている遺体を火野に処分させ、そして自分の命を絶ったんだ？　春日広大を守るため？　それともXを……？

胸の中で正子に問いかけつつ焼香をした僕は、再び親族席へと近づいて礼をする。出口へと向かう寸前、僕は辻の耳元に囁きかけた。

「このあと、少しだけお話しできませんか？」

辻は驚いたように僕を見たあと、かすかに頷いた。僕は部屋を出る。

「よろしければ、こちらにどうぞ」

葬儀社の職員らしきスーツ姿の男性が、奥にある部屋へと案内してくれる。十畳ほどのその和室には、長いローテーブルが並び、寿司(すし)やビールなどが置かれていた。年配の男女数人が固まって話をしている。おそらく、近所に住む春日正子の知人たちが、思い出話でもしているのだろう。

部屋の隅に腰を下ろした僕が十分ほど居心地の悪い思いをしたころ、「小鳥遊先生」と声を掛けられる。顔を上げると、部屋の外から辻が手招きしていた。

「今日はわざわざ母の通夜においでくださってありがとうございました」

部屋から出ると、辻が慇懃に頭を下げる。しかし、上目遣いに僕を見るその目には、明らかな猜疑心(さいぎしん)が灯っていた。

「まさか、先生がいらしてくださるとは思っていませんでした。失礼ですが、母を弔うのが目的ではなく、私となにか話すためにいらしたんじゃないですか？」

図星を突かれ、僕は首をすくめるように頷く。辻は「そんなことだと思いました」と、ため息をついた。

「あの、お忙しいなら無理にとは言いませんから……」

「忙しくなんてありませんよ。弔問客も少ししかいませんから。『癒しの御印』にのめり込んだ際、母は知り合いを片っ端から勧誘して、友人の大半を失ったんですよ。それにもう、通夜も終わりですからね。ちょっと話をするぐらいの時間はあります」

「そうですか。じゃあ……」

本題に入ろうとした僕は、部屋の弔問客たちがこちらに注目していることに気づいた。辻に「外で話しましょう」と促され、僕は玄関に向かう。傘を差して家から出ると、辻は受付の男性たちに手を上げた。

「ちょっと裏にいるから、何かあったら呼んでくれ」

二人は笑顔で頷く。

「会社の同期なんですよ。今日、明日と週末を潰して手伝ってくれているんです。叔母、さっき隣に座っていた女性は膝が悪くてほとんど歩けないし、妻は子守りで手が離せないんで、ものすごく助かっていますよ」

辻は裏手に回って離れの近くまで来ると、足を止めた。

「ここなら、雨音もあるし誰にも話を聞かれませんよ。それで、なんの御用ですか？」

辻の口調に棘（とげ）を感じつつ、僕は口を開く。

「あの、お兄さんはどこの病院で生まれたか、ご存じないですか？」

春日広大が生まれた病院、それを訊ねてくることこそ、鷹央からの指示だった。

「兄貴が生まれた病院？」辻の目が刃物のように細くなる。「それはあれですか？兄貴に双子の兄弟がいるかもしれないとか、そういうことを調べるためですか？」

「なんでそのことを⁉」

「決まっているでしょ。警察に何度も聞かれたからですよ。兄貴に双子の兄弟はいなかったか？　そういう話を聞いたことはないか？　この数日間で、刑事が何度も同じ質問をしてきましたよ」

　辻は大きくかぶりを振る。

「それで、なんて答えたんですか？」

　その質問が苛ついている辻をさらに刺激することを理解しつつも、僕は訊ねる。案の定、辻は大きく舌を鳴らした。

「知りませんよ、兄貴の双子の兄弟なんて。一度も聞いたことがない。しかも、そいつが殺人犯なのかと聞くと、刑事たちは決まって『それについては、まだお答えしかねます』とかなんとか言って誤魔化すんですよ。まったく、一体何なんだよ！」

　辻は足元を蹴る。離れの壁に、雨で泥状になった土が叩きつけられた。

　何度か深呼吸を繰り返した辻は、ポケットからスマートフォンを取り出し、その待ち受け画面を眺める。そこには乳児を抱いた若い女性の姿が写っていた。辻の表情の硬度がわずかに下がる。

「……ご家族ですか？」

　僕が躊躇いがちに訊ねると、辻はディスプレイを見たまま頷いた。

「ええ、妻と娘です。この二人だけが俺の『家族』です。息子は前妻が会わせてくれませんからね。俺は両親も兄も、そして息子も失いました。もしかしたら、血は繋がっている兄弟がまだ生きているのかもしれませんけど、そいつは俺にとっての家族なんかじゃありません。何人も人を殺している殺人鬼と血が繋がっているかもしれないっていうだけで、頭がおかしくなりそうです」

辻は唇を噛む。十数秒黙り込んだあと、彼は大きく息を吐いた。

「けど、兄貴に双子の兄弟がいたかもって聞いて、少しだけ安心もしたんですよ」

「安心……ですか？」

「だって、その男が『真夜中の絞殺魔』なんでしょ。たしかにそいつと俺は、遺伝上は血縁関係にあるのかもしれない。けれど戸籍上、俺はそいつの兄弟じゃありません。どこかに養子に出されたのかなにか知らないが、完全に他人のはずです。たとえそいつが逮捕されても、俺と家族がバッシングを受けることはない。そうでしょう？」

縋りつくような眼差しを向けてくる辻の前で、僕は暗澹たる気持ちになる。

辻は第三の兄弟であるXこそ連続殺人鬼だと思っているようだが、警察の考えは違う。春日広大こそが殺人鬼で、Xは容疑を逸らすための身代わりとして殺害された。その可能性が高いと踏んでいる。

春日広大が逮捕されれば、日本では珍しいシリアルキラー、しかも身代わりとして双子の兄弟を殺害しているということで、日本中を震撼させるだろう。そして当然、マスコミは兄弟である辻に襲い掛かり、残酷にそのプライバシーを全国に晒すはずだ。

「……そうですね。きっとそうなりますよ」

僕は心にもないセリフを絞り出す。安堵したのか、辻の表情がかすかに緩んだ。

「あの、辻さん。それで、お兄さんが生まれた病院は……？」

僕が話をもとに戻すと、辻は首を左右に振った。

「それが、詳しくは知らないんですよ。兄貴も俺も、同じ個人の産婦人科病院で生まれたらしいんですけど、たしかかなり前に閉院したはずです」

「その病院の名前とか、どこにあるかとかは？」

「刑事さんにもそれは聞かれましたけど、やっぱり思い出せなかったです。刑事さんは『それでは私たちで調べます』とか言っていましたけど」

警察がその気になれば、公的な資料からすぐに調べはつくだろう。しかし、僕たち一般人にはそれを調べる方法がない。だからこそ、鷹央は僕を派遣したのだ。

「そうですか、お手間を取らせてしまい申し訳ありませんでした」

頭を下げ、身を翻そうとした僕に「小鳥遊先生」と辻が声をかける。

「どんな目的があったにしろ、今日は来ていただいて、ありがとうございました。あんな母でしたけど、自殺したと聞いたときは凄くショックだったんです。俺が責めたせいなんじゃないかと思って」

辻の表情に、強い後悔の色が浮かぶ。

いや、違う。息子を、『真夜中の絞殺魔』を守るために、自らの口を封じたんだ。しかし、そんなことを辻に言えるはずもなかった。

僕は「いえ、そんなこと……」と言葉を濁すと、一度深く頭を下げて辻から離れていった。春日家の敷地から出た僕は、スマートフォンを取り出し、鷹央の電話番号を表示する。正直、気が重かった。まったく収穫がないと報告したら、また鷹央が不機嫌になるかもしれない。

明日の日曜にでも、『アフタヌーン』のケーキを持って〝家〟に行ってみるかな。天医会総合病院から車で十分ほどのところにある喫茶店『アフタヌーン』、そこで出されている自家製のケーキは鷹央の大好物だ。不機嫌な鷹央には甘味を与えておく。それが統括診断部に勤めるうえでは、重要なリスクヘッジになる。

「不機嫌だと、あの人、すぐに仕事しなくなるしな」ぼやきつつ、僕は鷹央に電話をかけた。普段はすぐに出るのに、今日はなかなか繋がらない。

「トイレにでも入っているのかな？」

つぶやくと同時に、呼び出し音が消えた。

「あっ、鷹央先生。いま、春日正子の通夜に行ってきました」

返事はない。電波状況が悪いのだろうか？　僕は眉根を寄せつつ報告を続ける。

「あの、春日広大も辻さんも同じ個人の産婦人科で生まれたらしいですけど、その名前までは覚えていないらしいです。しかも、もう閉院したらしくて……」

『遅かった……』

セリフの途中で、力ない鷹央の声が響いてくる。

「遅かった？　いや、でもさすがに通夜の途中で喪主に話は聞けないと思ったんで、終わる寸前に行ったんですよ。そのおかげで少し落ち着いて話を……」

『違う……。間に合わなかったんだ。私は助けることができなかった……』

鷹央の悲痛な声に、僕はなにかあったことに気づく。

「どうしたんですか、鷹央先生。なにかあったんですか？」

『ネットニュースを見ろ。号外で出ている』

その言葉を残して回線が切断される。

「あれ？　鷹央先生？　もしもし？」

僕はスマホに向かって声をかけるが、ツーツーという電子音が響くだけだった。

「ネットニュース？」

事態を把握しきれないまま、僕はニュースアプリを開く。ディスプレイにニュースのリストが現れる。その一番上に表示されている文字を見て、心臓が大きく跳ねた。

板橋区で女性の絞殺遺体　『真夜中の絞殺魔』の犯行か？

傘が手からこぼれ落ちる。
スマホを片手に立ち尽くす僕の体を、大粒の雨が容赦なく打ちつけた。

幕間(まくあい)

ロープを放した瞬間、女の体は糸が切れた操り人形のごとく崩れ落ちた。

男は雲が覆(おお)う天空を見上げつつ、余韻に浸る。女のうめき声、助命を乞(こ)う悲愴な眼差(まなざ)し、ロープを通して両手に伝わってくる断末魔の抵抗と、それが徐々に弱くなっていく感触。脳内に溢(あふ)れんばかりに分泌(ぶんぴつ)されているエンドルフィンに浸りながら、それらを反芻(はんすう)する。下半身に熱い血液が集まっていった。

深呼吸を繰り返し、体内に滾(たぎ)っている興奮をなんとか希釈しつつ、男は辺りを見回す。

以前から目をつけていた場所だった。寂れた住宅地の外れに放置された廃屋の庭。コンクリートブロックが目隠しとなり、獲物を引きずり込んだあとは、落ち着いてことを運ぶことができた。辺りには防犯カメラもないし、近くに太い国道が走っているので、少しぐらいの悲鳴を上げられても周囲の住民に気づかれることはない。

男は遺体に視線を落とす。女の命を奪ったロープは、いまは彼女の首に緩く巻き付いている。それはまるでロープが女を抱擁しているかのようだった。細めた男の目には、遺体が美しい芸術作品のように映っていた。

男はポケットから小さなハサミを出すと、女の髪を無造作に掴み、一房切り取った。鼻先に髪を当てると、かすかに柑橘系の香りがかすめた。

完璧だ。犯行を繰り返すたびに、手口が洗練されていく。性的な快感とは別の満足感が胸を満たしていく。

きっと、これはカルマなのだろう。人殺しとして、『怪物』として生まれついた自分に課せられたカルマ。いや、それとも自分の中に棲み着いた『怪物』がこの衝動を引き起こし、俺を操っているのだろうか。

「……どっちだっていいさ」男は口角を鋭く上げる。

俺は伝説の怪物だ。死から甦った怪物。警察は必死に俺のことを追っているらしいが、すでに死んでこの世に存在しないはずの俺を見つけ出せるはずがない。

誰も俺を止められない。決して誰も。そのことを奴らに教えてやるとしよう。

男はズボンのポケットから四つ折りの紙を取り出すと、遺体のそばに置いた。

「俺は伝説の怪物。我が名は……」

男が口にした言葉は、国道から響くトラックの音にかき消されていった。

第二章　溶けた怪物

1

春日正子の通夜の翌日、日曜日の午後、〝本の樹〟が立ち並ぶ薄暗い室内にノックが響き渡る。ソファーに座る鷹央が口を固く結んでいるので、代わりに僕が「どうぞ」と声をかけた。玄関扉が開き、三浦を引き連れた桜井が入ってくる。その顔からは普段のどこか人を食ったような表情が剝がれ落ち、憔悴している様子が見て取れた。

「どうも……、お邪魔します」

普段より力のない桜井の言葉に、鷹央はほとんど反応を見せなかった。〝本の樹〟の隙間を縫って近づいてきた桜井は、倒れ込むように一人掛けのソファーに腰をかけた。三浦はそのそばで、落ち着きなく視線を彷徨わせる。彼の気持ちは痛いほど理解できた。ここに慣れ親しんでいる僕でさえ、部屋に満ちている触れれば切れそうなほどに張り詰めた空気に息苦しさをおぼえているのだ。はじめて、この魔女の屋敷めいた気味の悪い空間に訪れた三浦が落ち着かないのも当然だ。

「それで、なんの用だ。急に話がしたいなんて連絡してきて。まあ、予想はついているけどな。新しい遺体についてだろ」

昨日、板橋区の廃屋で見つかった遺体は、『真夜中の絞殺魔』の犯行である可能性が極めて高いと、すでに警察から公式に発表が行われ、大きなニュースになっている。四人目、いや四年前の事件を合わせると、これで七人目の犠牲者ということになる。無差別に若い女性を狙う犯人に対する怒りと恐怖、そしていまだに犯人逮捕に至っていない警察への非難が全国に広がっていた。

僕は朝から外出することもなく、テレビのニュース番組が流し続ける事件の詳細を食い入るように見ていた。そんなとき、鷹央から電話があった。

『午後三時頃に、桜井が話をしに〝家〟に来るらしい。お前も来い』

重量感のあるその言葉に、僕は「分かりました」と答えることしかできなかった。僕自身も、ワイドショーが垂れ流す不正確な情報ではなく、桜井の話を聞きたいとも思った。そうして、僕たちはこの〝家〟に集合した。

「あ、あの、もしよかったら皆さん、ケーキでもいかがですか?」

ここまでとは思わなかったが、空気が重くなることはある程度予想していた。その際に少しでも場を和ませられればと、ここに来る前に『アフタヌーン』に寄り、鷹央の好物のケーキを四つ買ってきておいたのだ。

「そんなもの出さなくていい」

鷹央の鋭い声に、媚(こ)びるような笑みを浮かべていた僕は頬を引きつらせる。

「まずは謝罪させてください。申し訳ありません」

突然、桜井は頭を深く下げた。少し薄くなっている頭頂部がこちらに向けられる。

「謝罪？　なんに対する謝罪だ？」鷹央は冷めた目で桜井を見下ろす。

「我々の認識の甘さです。逮捕が間に合うと思っていました。いや、それどころか……」

「もう、被害者は出ないかもしれない。そう考えていたんだな」

鷹央は抑揚のない口調で桜井のセリフを引き継いだ。顔を上げた桜井は、「そうです」と苦虫を嚙(か)み潰(つぶ)したような表情を浮かべる。

「え？　警察はもう殺人は起こらないと思っていたんですか？　なんで……？」

反射的に質問が口をつく。

「四年前の被害者が三人だからだよ」鷹央は苛立(いらだ)たしげに手を振った。「三人殺せば犯人は満足して、当分は犯行を行なわない可能性が高い。その間に警察のマンパワーで逮捕できる。そう思っていたのさ。だろ？」

桜井は渋い表情のまま頷いた。

「けれど、今回は三人では済まなかった。それどころか、犯行と犯行の間隔がどんどん短くなっている。私も次の犯罪は近いとは思っていたが、まさかすでに犯行に及んでいるとは思わなかった。最低でもあと二、三日は猶予があると予想していた」

鷹央は力なく首を振る。最近、鷹央がやけに焦り、苛立っていた理由がようやく分かった。鷹央はもうすぐ犯行が行なわれると分かっていたのだ。だからこそ、それまでに犯人の正体を暴こうとやっきになっていた。これ以上、被害者を出さないために。

しかし、結局その願いはかなわなかった。

「もう『真夜中の絞殺魔』は自らを制御できていない。今後も殺しまくるぞ。だからこそ、面子なんかにこだわっていないで、全力で対応する必要があるんだよ」

「今後も殺しまくるって、なんでそんなこと断言できるんですか？　そんなの天久先生の個人的な予想でしかないじゃないですか」

自分たち警察が非難されていると感じたのか、三浦がやや上ずった声を上げる。鷹央はあごを引くと、三浦を睨みつけた。

「個人的な予想？　私がそんな貧弱な根拠をもとに話をしていると思っているのか？　これはシリアルキラーの統計に基づいた推測だ。今回のように、犯罪に性的な興奮を覚えているタイプのシリアルキラーは、犯行を重ねるにつれ自信をつけていく。そして犯行がより大胆になり、インターバルがどんどんと短くなっていくんだ」

「けれど、四年前は被害者が三人で止まったんですよ」

「それは、なにか犯行を止めるに足るきっかけがあったからだ。春日広大だったのか、それともXだったのか分からないが、おそらく私が死亡宣告をしたあの男が亡くなったことだろう。この手のシリアルキラーは多くの場合、犯行の開始にも終了にも何かのきっかけがある。しかし、犯行を止めるに足るきっかけがない場合、ただひたすら犯行が加速していく。それが最も一般的なパターンだ」

理路整然とした鷹央の説明に、三浦は口をつぐむ。

「鷹央先生、いま犯行の開始にもきっかけがあるって言いました？」

僕が訊ねると、鷹央は大きく頷いた。

「ああ、そうだ。統計的には、強いストレスを受けた場合が多い。家族や配偶者との死別、仕事の解雇、不治の病の宣告、様々な場合がある」

「ということは、犯人は四年前に強いストレスを受けて犯行を開始したけれど、春日広大かXが死んだことをきっかけに一度犯行をやめていた。なのに、最近になってまたなにか強いストレスを受けて犯行を再開したということですか？」

「四年前の犯行開始時にはストレス要因があると思われるが、犯行の再開については何とも言えない。我慢の限界が来たなど、最初のときに比べれば小さな理由によって引き起こされることもあるからな。しかし、このくらいのこと、捜査本部では情報共有していないのか？」

鷹央が呆れ声を上げると、桜井は肩を落とす。

「日本でシリアルキラーによる連続殺人事件は極めて珍しいんです。ですから、いまおっしゃったような統計的なアプローチは行なっていません。従来通り地道に、地取り、鑑取り、遺留品を中心にした捜査を行なっています」

「普通の殺人事件ならそれでいいんだろうけど、今回は捜査が長引けば長引くほど被害者が増えていくんだぞ。そんな悠長なことやっている場合か」

「しょうがないんですよ。我々にはシリアルキラーに対するノウハウが足りません。アメリカの専門機関への協力要請も検討はされていますが、いつになるやら……」

桜井は力なくうなだれる。そのとき、三浦が「あの……」と小さく手を上げた。

「統計では、暴走したシリアルキラーは最終的にどうなるんですか？」

「ほとんどの場合、逮捕されるか自殺するかだな。自信をつけ犯行が大胆になるにつれ、より多くの証拠を現場に残していく傾向がある。それにインターバルが短くなれば、下調べなども不十分になってくる。そうして結局は、捜査当局に尻尾を摑まれるんだ」

「じゃあ、今回の犯人も……」

「ああ、近いうちに逮捕される可能性が高い。けどな……」鷹央は声を押し殺す。

「それまでに何人が犠牲になるか、誰にも分からない」

三浦の喉からうめき声が漏れた。

「すぐにでも次の犯行が起こると分かっていたからこそ、一昨日、私がここに来たとき、天久先生は執拗に情報を寄越せっておっしゃったんですね……。けれど、私は捜査本部の方針に従い、十分な情報を流さなかった」

桜井の顔には、強い後悔の色が滲んでいた。

「ニュースによると、昨日発見された遺体は、すでに死後二日ほど経っていたんだろ。つまり、お前がここに来たときには、犯行が行なわれていたんだ。情報をもらったところで、私にはなにもできなかったさ」鷹央は自虐的につぶやく。

「天久先生、仕切り直しさせていただくわけにはいきませんか？」

「仕切り直し？」

「もう、これ以上、被害者を出したくないんですよ。一人たりとも。ですから、天久先生のお力を貸していただきたいんです。捜査本部が摑んでいる情報は全てお伝えします。天久先生が必要な情報があれば、私たちが集めてきます。ですから、次の被害者が出る前に犯人を逮捕できるよう、ご協力いただけないでしょうか？」

桜井は再び頭を深く下げる。隣に立つ三浦もそれに倣った。

「なんだよ、この前まではあれだけ素人が事件に口を出すなって言っていたくせに、どういう風の吹き回しだ？　世論に叩かれて、捜査本部も軌道修正したのか？」

「いえ、捜査本部の方針は変わっていません。捜査を指揮する管理官は、情報漏洩には特に気をつけるよう指示をしています。もし、先生に情報を漏らしていることを知られれば、私たちは捜査から外されるでしょう。場合によってはもっと大きなペナルティを食らうかもしれません」

「……そこまでのリスクを負ってまで、なんで私の協力を仰ぐんだ？」

「大宙神光教の事件、密室での溺死事件、そして先日の透明人間による殺人事件。これまで、我々が解決できなかった事件をあなたが解き明かすのを私は見ています」

「けれど、一昨日お前は言ったぞ。犯人は春日広大、またはその一卵性双生児のXで間違いない。そこまで分かれば、あとは警察のマンパワーがものをいう。私の協力がなくても犯人は逮捕できるってな。その考えは変わったのか？」

　鷹央は鋭く桜井を見据える。

　けっこう執念深いんだよな、この人。僕は黙って桜井の答えを待った。

「変わってはいません。ただ、私たち警察はなにか見落としているかもしれない。なにか大きな勘違いをしているのかもしれない。そんな予感がするんです。だとしたら、それを指摘できる人は私の知る限り、天久先生しかいません」

桜井は珍しく、余裕のない態度で言う。鷹央は腕を組むと、ソファーの背もたれに体重をかけた。

「なにがあった？　お前、そんな感情的になるキャラじゃないだろ。これまでは協力を頼むにしても、もっと飄々(ひょうひょう)としていたぞ。それに、いつものお前なら、パートナーの刑事まで連れてこないはずだ。もし捜査本部にばれても自分だけの責任にするためにな」

「俺が桜井さんにお願いしたんです。一緒に来たいって！　だって、あんな……」

三浦は感極まったのか声が出なくなる。桜井は立ち上がり、三浦の肩に手を置いた。

「今回、私たちが二人で、被害者の死をご遺族に告げに行きました」

桜井の顔に、痛みを耐えるような表情が浮かぶ。

「被害者は二十四歳の看護師の女性です。両親は若くして離婚し、母親が女手一つで育てていたらしいです。被害者は一生懸命勉強して看護師になり、実家近くの総合病院で勤務していました。そして半年ほど前、同じ病院に勤める医師と婚約し、来月式を挙げる予定でした。けれど三日前、勤務からの帰り道に実家近くで犯人に襲われ、……廃屋の庭で絞殺されたんです」

あまりにも悲惨な話に、僕は言葉がでなかった。

「娘の悲報を聞いた母親はその場で失神し、いまも入院中です」

桜井は鼻の付け根を押さえると、肺にたまっていた空気を吐き出す。

「もう、これ以上被害者は出さない。そのためなら私のクビなんて安いものです。ですから天久先生、どうか協力をお願いします！」

桜井と三浦は緊張の面持ちで鷹央の答えを待った。十数秒間、無言で二人を見つめたあと、鷹央はゆっくりと口を開く。

「……いまも警察は、春日広大を第一容疑者として捜査しているのか？」

桜井と三浦の表情がぱっと明るくなる。

「はい、そうです。記録では死亡していることになっていますので、公式には指名手配はしていませんが、全国の警察組織に写真を配って捜しています。また、春日広大の似顔絵を重要参考人として配布する予定です」

三浦が勢い込んで答えた。

「まあ、犯人が春日広大だろうが、その一卵性双生児だろうが、極めて似た顔をしているだろうからな。たしかに有効な手段だ。他には？」

「犯人が形成手術で顔を変えている可能性も考え、少しでも疑わしい男には、任意でDNA検査を行っています」

「疑わしいというのは、どう判断しているんだ？」

「春日広大と双子なら四十代でしょうから、その年齢で被害者たちの周囲にいた男です。また、四年間犯行が中断していたことも考え、その期間に収監されていた前科者にも当たっています」

「結局、ローラー作戦か。間違っちゃいないが、時間と労力のかかる方法だな。それで犯人がすぐ見つかるっていうのは考えにくい」

桜井は同調するように首を縦に振る。

「ええ、そうですね。しかも、捜査本部はそちらのローラー作戦にはあまり力を入れていません。管理官をはじめとする捜査本部の幹部たちは、春日広大がホシだとにらんでいて、その捜索に最も力を注いでいます」

「そこまで春日広大犯人説に傾倒するのは危険じゃないか？　管理官たちがそう考える根拠でもあるのか？」

「実はあるんです。先日はお伝えしなかった情報が」

鷹央は一瞬、不愉快そうに唇を曲げると、「で？」と桜井に先を促す。

「七年前に亡くなっている父親が春日広大に厳しいしつけ……、というか虐待ともとれる行為を行っていたのはご存じですか」

「ああ、聞いてはいる」

「かなり酒癖が悪く、酔うと簡単に手が出るような人物だったらしいです。そして、近所の人が聞いているんですよ。かなり以前から酔った父親が、『この人殺しが！』

とか『お前は人間じゃない、怪物だ！』などと怒鳴っている声を。もしかしたら、父親は春日広大が殺人鬼であることを知っていたのかもしれません」

「え？　ちょ、ちょっと待ってください」僕はこめかみを押さえる。「その父親が死んだ七年前って、まだ最初の絞殺事件も起こっていませんよね。それなのに父親が春日広大を『人殺し』って罵倒するのはおかしいんじゃないですか」

「たしかにそうです。単なる言葉の綾なのか、それとも……まだ知られていない殺人事件があるのか」

「つまり四年前の絞殺事件以前に、すでに春日広大は誰かを殺していて、親はそれを知っていたが隠していたということか？」

　鷹央は人差し指を眉間に当てる。

「その可能性もあるということで、未解決の殺人事件の洗い出しも行っています。捜査本部の見解はこうです。幼少から父親に虐待を受けて成長した春日広大は、そのせいもあり殺人衝動を胸に秘めるようになった。そして、最初の犯行に及んだが、両親以外に気づかれることはなかった。息子の犯行を知った父親は、殺人犯を同じ家に置いておくことはできないとプレハブで作った離れに追いやった」

「強引な話だな。しかし、父親が『人殺し』や『怪物』などと怒鳴っていたことは気になる……。春日広大と辻章介が生まれた産婦人科病院についてはなにか情報はないか？」

鷹央が質問すると、三浦はスーツのポケットから手帳を取り出し、ぱらぱらとめくる。

「中本産婦人科病院という小さな病院だったらしいです。院長が高齢のため、十年以上前に閉院しています」

「その院長はまだ生きているのか？　話は聞きに行ったのか？」

「現在八十歳過ぎですが、まだ存命で西東京市に住んでいます。ただ、春日広大の件について訊いたんですが、何千人も子供を取り上げてきたんで、その一人一人について詳しくは覚えていないとのことでした」

「カルテは？」

「えっと……、カルテはすでに破棄されているらしいですね。出生届から、春日広大、辻章介の兄弟が中本産婦人科病院で生まれたことは確実ですが、出産時の詳しい状況については調べられませんでした」

カルテの保存義務は医師法で五年間と定められている。すでに閉院して十年以上も経っているならば、破棄されていても仕方がないだろう。

「その病院になにか悪い噂はなかったか？　警察の考えでは春日広大の双子の兄弟であるXがいたはずだが、記録には載っていないんだろ。記録に残すことなく養子として斡旋したのかもしれない。完全な違法行為だ。もし定期的にそんなことをしていたなら、なんらかのトラブルに巻き込まれていたり、告発があったりするものだ」

「調べましたが、悪い噂などは聞かれませんでした。訴訟に巻き込まれたとか、捜査対象になったなどという記録はありません」

三浦は手帳に視線を落としたまま説明していく。鷹央は苛立たしげにかぶりを振った。

「本当に春日広大に双子の兄弟がいるなら、その医者はなにか知っているはずだろ。もっとしっかり調べろよ」

「それが頑固な老人で、しかも警察嫌いらしく、何度も追い返されているとか……」

「あとでそいつの住所を教えろ。代わりに私と小鳥が話を聞いて来てやる」

「え？　僕たちがですか？」突然の提案に、僕は声を上げる。

「同業者なら少しは口が軽くなるかもしれない。春日広大に本当に一卵性双生児の兄弟がいたのか、いたとしたらその男はどうなったのか、それは今回の事件の肝だ。そこを聞き出さないとはじまらないんだよ」

たしかにその通りかもしれないが、警官じゃないからって僕たちが好かれるとは限らない。というか、鷹央の物言いで怒らせてしまう可能性が極めて高い。

結局、僕がなんとかフォローするしかないのか……。

「そもそも、春日正子が双子を産んだという情報は本当なんだろうな？　そこが間違っていたら、前提条件からめちゃくちゃになるぞ」

「別の捜査員の報告では、春日正子の友人の女性がそう聞いたと証言しているらしいんですが……」

言葉を濁した桜井に、鷹央は疑わしげな視線を浴びせかける。

「分かりました。もう一度、私たちが直にその人から詳しい証言を取ってきます」

「そうしてくれ。他に情報は？」

桜井は三浦と一瞬目を合わせたあと、ためらいがちに口を開く。

「あのですね、実は今回、犯人からのメッセージらしきものが発見されているんです」

「メッセージ⁉」

「はい、A4ぐらいの紙が四つ折りになって、遺体のそばに置かれていました」

「なんでそんな重要なことを黙っていたんだ。これまでの現場にはなかったメッセージを残しているということは、犯人が自信をつけていると同時に、暴走しはじめている証だ。そんなものを残せば、警察に証拠品を与えるだけなんだからな。それで、どんな内容なんだ？　きっと、自分の犯行について自慢するようなものなんだろ？　シリアルキラーの場合、自らを超越者のように感じ、それを他人にも認めさせたいという欲求を持つものが多いからな」

「それがですね……、内容が分からないんです。昨日の雨でできた水たまりにその紙が完全に浸かっていたため、劣化が激しく、半分溶けたような状態なんですよ。いま、科捜研が必死に復元を試みています。たぶん、今夜の捜査会議までには大まかな文面は分かるとのことです」

桜井は申し訳なさそうに首をすくめる。鷹央の顔から潮が引くように好奇心の輝きが消えていく。

「……で、他には？」

桜井が「いまのところありません」と答えると、鷹央は手をひらひらと振った。

「なら、さっさと帰って、産婦人科医の住所と、春日正子の双子の件を調べてこい」

「承知しました。なにか有効な情報が分かり次第連絡します」

ソファーから立ち上がった桜井は、三浦を促して出口へと向かう。玄関扉を開いて部屋を出る寸前、桜井は決意を湛えた眼差しを向けてきた。

「これ以上、誰一人犠牲者を出さないようにしましょう」

「当り前だ」

鷹央の覇気のこもった返事に桜井は微笑むと、会釈をして玄関の外に姿を消した。

数秒の沈黙のあと、鷹央は「小鳥」と話しかけてくる。

「分かっています。産婦人科医の件でしょ。ちゃんと僕も同行しますよ」

これ以上、犠牲者を出したくないのは僕だって同じだ。そして、僕がこの事件の解決に最も貢献できることは、鷹央をサポートすることだろう。それを精一杯やろう。決意を固めている僕を、鷹央は不思議そうに眺める。

「なに言っているんだ。そうじゃなくてケーキだ。『アフタヌーン』のケーキ。あいつらが帰ったから、その分、私が食べてもいいだろ」

「……そのつもりで、桜井さんたちにケーキを出さなかったんですか？」

「それ以外になにか理由があるか？」

「いえ、別にいいんですけど、三つも食べるつもりですか？」

「お前の分も合わせて、四つ食べてもいいぞ」

「……お腹壊しますよ」

「いいだろ、一刻も早く『真夜中の絞殺魔』の正体を暴かないといけないんだぞ。脳に糖分が必要なんだよ」

「はいはい、分かりました。太っても知りませんからね」

僕はキッチンに行くと、冷蔵庫からケーキ箱を取り出す。

「本格的な調査をはじめる前に、ケーキで景気づけってわけですね」

無言でソファーから立ち上がった鷹央は、大股に近づいてくると僕の手からケーキ箱を乱暴に奪い取った。

「あっ、ちょっと鷹央先生、なにを……」

「お前のケーキも私が食べるんだよ。私の部屋で寒気がするほどくだらないオヤジギャグを口にした罰だ。文句ないな」

鷹央の氷点下の視線に、僕は首をすくめてうつむくことしかできなかった。

2

インターホンのボタンを押して返事を待つが、スピーカーからは声が聞こえてこなかった。

桜井が訪ねてきた日の翌日、午後五時半過ぎ、僕は鷹央とともに西東京市の住宅街にいた。目の前には平屋建ての日本家屋が建っている。かなり年季が入っているが、敷地の面積は広く、建物のつくりからも高級感が漂っている。この場所こそが、春日広大と辻章介を取り上げた産婦人科医の自宅だった。

今日の昼過ぎに三浦から電話があり、この家の住所を知らせてきた。そして今日の勤務を終えた僕と鷹央は、その産婦人科医から話を聞くためにこの家を訪れていた。三浦からの情報によると、産婦人科医の名前は中本宰三（さいぞう）、八十二歳、妻と死別していまはこの家に一人暮らしとのことだった。

「留守ですかね」

僕は隣で、みぞおち辺りを押さえたまま顔をしかめている鷹央に声をかける。

「……居留守かもしれないだろ。相手が根負けするまで呼び鈴を鳴らし続けろ。それが押し売りの基本だ」

いや、僕たちは押し売りじゃないし。

「まだ胃の調子が悪いんですか？」

今朝からずっと鷹央は「胃が重い」だの「気持ちが悪い」だの言っているのだ。

「……胃粘膜保護薬とＰＰＩ、あと消化管運動改善薬も飲んだから、少しはましになってる」

「そうは見えませんけど。まったく、ケーキを四つも食べるからですよ」

「四つぐらい全然平気だったはずなのに、なんで今回は……」

さしこみがあったのか、鷹央は体を曲げてうめき声を上げる。

それって、もっと若いときの話でしょ。あなた小柄で童顔だから女子高生とかに見間違えられるけど、実際はアラサーなんだから。

恐ろしくて口が裂けても言えないことを胸の中でつぶやいていると、突然『うるさい！』という怒声が響き渡った。音に敏感な鷹央は、丸めていた体をピンと伸ばす。

『何度もインターホン鳴らして、いったい何のつもりだ！』

スピーカーから怒鳴り声が響いてくる。やはり居留守だったようだ。

「す、すみません、少しお話をうかがいたいんですが……」

心の準備ができていなかった僕は、しどろもどろに言う。

『警察に話すことはないと、何度言えば分かるんだ。さっさと帰れ！　わかったな』

「警察じゃありません！」通話が切られそうな気配をおぼえ、僕は慌てて声を上げる。

『警察じゃない？　じゃあ、マスコミか？　それなら、なおさら話すことはない。あんな無礼な奴ら……』

「医者です！」

僕は叫ぶように言う。スピーカーから『医者？』という、訝しげな声が聞こえてきた。

「はい、天医会総合病院の医師です。どうかほんの少しだけで結構ですので、お話をうかがえませんでしょうか？」

『天医会……。私は十年も前に引退した身だぞ。いったい何の話が聞きたいんだ』

「それは、春日広大の……」

なんと説明すれば最も理解を得やすいのか判断が付かず、僕は思わずその名前を口走る。その瞬間、スピーカー越しでも怒気が膨らむのを感じた。

『春日広大？　警察が何度も訊ねてきた名前だ。お前は警察に頼まれてここにやってきたのか？　私がなにか隠していると疑って？』

「いえ、決してそういうわけでは……」

なんとか取り繕おうとするが、スピーカーから聞こえてくる声は、怒りの濃度を上げていった。

『不愉快だ！　あまりにも礼儀知らずだ。いますぐ帰れ！』

「私は天久鷹央だ」唐突に鷹央が凛とした声を張り上げた。「天医会総合病院の副院長をやっている。祖父は天医会の創設者で、親父は数年前まで院長を務めていた」

いったい何を？　僕は戸惑いつつ鷹央を見る。

『天久……。本当か？』スピーカーから、探るような声が響いてきた。

「本当だ。だから、少し話を聞かせてくれないか」

鷹央が言うと、ぶつっという音がして何も聞こえなくなった。どうやら回線が切られたらしい。

「鷹央先生、いまのはなんなんですか？　急に名乗りを上げたりして」

「いいから見てろって、さっきの男はやたらと『礼儀』について語っていた。なら、きっと動きがあるはずだ」

鷹央がそう言い終えると同時に、玄関扉が開いて甚平姿の老人が姿を現した。僕が驚いていると、男は庭に埋められた飛び石の上を歩いて近づいてくる。八十歳を超えているはずだが、その背中はピンと伸び、足取りは力強い。白く変色した太い眉、こちらをまっすぐに見据える目が、意志の強さを物語っていた。大股に近づいて来た男は、門扉の前で足を止めると、値踏みをするような視線を鷹央に向ける。

「私が中本だ。あなたが天医会の副院長か？」

「ああ、そうだ。急に訪れて悪いが、少しだけ話を聞いてくれないか。べつにここで立ち話するだけでも構わない」

中本は門扉を開くと、身を翻した。

「ついてきなさい。話は中で聞こう。茶ぐらいは出す」

こちらを見ることなく言うと、中本は家へと戻っていく。あっけにとられている僕に得意げな流し目をくれると、鷹央はその後を追っていった。

家へと入った僕たちは、居間へと通された。家具などは全体的に古いが、掃除が行き届いているのか清潔な雰囲気を醸し出している。中本は「茶を淹れてくる」と言い残して、姿を消した。

ソファーに座った僕は、隣の鷹央に囁きかける。

「どうして、鷹央先生が名乗っただけで入れてもらえたんですか？」

「あの男はこの近所で個人の産婦人科病院を開いていたんだろ。そういう病院では、妊婦や新生児に高度な医療が必要だと判断した場合は、総合病院に搬送することになる。そして、このあたりで最も大きな総合病院はうちだ」

「自分が開業している間、天医会に世話になったから、その創業一族である鷹央先生をないがしろにできなかったっていうわけですか」

「あれだけ他人の礼儀にこだわるんだから、自分も礼を尽くすと思ったんだよ」

盆を持った中本が居間に戻ってきた。ソファーの前のテーブルに、中本は茶の入った湯呑(ゆのみ)と、茶菓子を並べていく。

鷹央が茶菓子に伸ばしかけた手を、僕は横から軽く叩いた。

「ケーキの食べ過ぎで胃を悪くしているんでしょ。お茶だけで我慢してください」

鷹央は唇をへの字に曲げると、渋々と手を引っ込める。

「天医会の先代、先々代の院長には世話になった。二人ともいまもお元気か？」

中本は対面の椅子(いす)に腰掛けた。

「ああ、二人ともぴんぴんしているよ。そんなことより、春日広大の話を聞かせてくれ。そのためにわざわざ来たんだ」

「……またその話か」

いくらか穏やかな表情が浮かんでいた中本の顔が、一気に硬度を増した。僕は慌ててフォローしようとするが、その前に中本が早口で喋(しゃべ)りはじめる。

「いったいその男がなんだっていうんだ。最近、何度も刑事がやってきて、その男のことを訊いてくるんだ。まったく、いい加減にしてくれ」

「それで、なにか覚えていないのか？　その男が生まれたとき、なにかおかしなことはなかったのか？」

「私は現役時代、年に数百人の新生児を取り上げていた。しかも、四十年以上前のことだぞ。覚えているわけがないだろ」

「なんでだ？」鷹央は心から不思議そうに小首をかしげる。

「何でって……、じゃあ君は、診察した患者全員をおぼえているっていうのか？」

鷹央は「当然じゃないか」と胸を張った。

「研修医になってからだと、まずは神田洋一、三十七歳、急性胃腸炎。次が花井マツ、八十二歳、心房細動からくる脳血栓症。その次は工藤昭（あきら）、四十七歳、急性膵炎（すいえん）……」

「鷹央先生、分かりました。分かりましたからそのくらいで……」

僕は鷹央を止める。放っておけば、本当にこれまでに診察した全患者の情報を垂れ流し続けるだろう。中本は口を半開きにし、珍獣でも見るような目で鷹央を見つめていた。

「わ、私はまだ頭の方はしっかりしているつもりだが、そこまでの記憶力はもっていない。悪いがその春日広大という人物について覚えていないし、もし覚えていたとしても、なにも教えることはできない。医者に守秘義務があることは知っているだろ」

「患者の情報を医者同士で交換することは、日常的に行われているだろ」

「それは、患者の治療に必要な場合に限ってだ。君たちはその春日広大という男性を治療するために来ているわけじゃない。警察はその男は四年前に死んだと言っていた」

「そう、四年前に死んだはずだった。その死亡宣告をしたのは私だ。けれど、その男が生きている疑いが出てきた。だからこそ、私はこうして話を聞きに来たんだ」

「死んだはずの男が生きている？」

「私が死亡宣告したのは、一卵性双生児の兄弟だったかもしれないんだよ。だから、その死んだはずの男、春日広大に双子の兄弟がいるかどうか教えて欲しかったんだ」

「刑事も、その男に双子の兄弟がいるか聞いてきたが……、そういう理由だったのか」

　中本はひとりごつ。どうやら警察はほとんど情報を開示することなく、中本から春日広大の話を聞こうとしていたようだ。

「それで、どうなんだ。春日広大には一卵性の兄弟はいたのか？」

「覚えていないし、覚えていても教えられないと言っているだろ。産科の医療現場というのは、めでたいことばかりじゃない。中には他人には絶対に知られたくないようなつらい出来事も起こる。だから、私は情報を漏らさない。私が担当した母体や子供の話を聞きたければ、裁判所から令状を持ってくることだな」

　中本の口調からは、鉄のように硬い意志が感じられた。

「そもそも、その春日広大という男が双生児かどうかを知りたいなら、わざわざ私の曖昧(あいまい)な記憶に頼るより、家族に話を訊くか、役所で書類を調べればいいじゃないか。刑事にもそう言ったんだが、あいつらなにかぐちゃぐちゃと言葉を濁していたな」

「春日広大の両親はすでに死んでいる。歳(とし)が離れた弟もいるが、そいつは兄に双子の兄弟がいたなんて知らないと言っている。そして、役所に提出された書類にも、双子の兄弟の存在は記されていなかった」

「それなら、そんな子供はいなかったということだ。そこまで調べがついているのに、なんで私に確認する必要があるんだ？　わけが分からない」

「春日広大が一卵性双生児の可能性が高いという客観的な証拠が挙がっているからだ。それにもかかわらず、書類上はそんな子供は存在しない。となると、なにか書類には書けないようなことが行なわれていた可能性がある」

「……私が違法行為をやっていたとでも言いたいのか？」

「その可能性もある。一番最初に考えられるのは、違法な養子斡旋だな。金をもらって、子供ができない夫婦に自分の病院で生まれた子供を……」

「ふざけるな！　私がそんなことをしただと⁉」

中本はテーブルを叩いて怒鳴り声を上げる。しかし、鷹央が動じることはなかった。

「断定しているわけじゃない。それも可能性の一つだと考えているだけだ」

「出て行け！」中本は出入り口を指さす。「いますぐに私の家から出て行くんだ！」

「あ、あの、中本先生、失礼なことを言って申し訳ありません。ただ、もう少しだけ話を聞いていただけないでしょうか？」

僕は慌ててその場を収めようとするが、中本の怒りがおさまることはなかった。

「さっさと出て行けと言っているんだ！　私は母親と生まれてくる子供が幸せになれるように、何十年も必死に仕事をしてきたんだ。その私が、子供を金で売っていただと？　これ以上の侮辱があるか。一刻も早く消え失せろ！」

仁王立ちになった中本の顔は紅潮し、その額には太い静脈が浮き出ていた。

「鷹央先生、ここはいったん帰りましょう」

ソファーから腰を浮かしつつ促すが、鷹央は微動だにしなかった。

「私はここから動かない。この男ともっと話す必要があるからな。この男の記憶の中には、事件の鍵となる情報があるはずなんだ」

「事件など知ったことか。私には関係ない！」

「お前が協力を拒んだせいで、人が殺されたとしてもか」

鋭い言葉が中本を射抜く。拳を振り上げていた中本の動きが止まった。

「人が……殺され……？」

「そうだ。警察や私が追っている犯人、それは『真夜中の絞殺魔』だ」

中本は目を剝いて硬直する。このことを中本に言っていいのか分からなかったが、僕は口を挟まなかった。そうしなくては、もはや情報を得ることは不可能だろうから。

「犯人はつい先日も若い女を殺している。しかも、その女は来月結婚式を挙げる予定だった。もしかしたら、一、二年後には子供を産んで母親になっていたかもな。けれど、『真夜中の絞殺魔』によってそんな未来は永遠に訪れなくなった」

中本は口を固く結んだまま、鷹央の話を聞く。

「犯人を早く捕まえないと、同じような目に遭う女が増えていく。それを防ぐためにも、お前からの情報がどうしても必要なんだ。分かったら、座って話を聞いてくれ」

鷹央は中本を見上げる。中本は緩慢な動作で椅子に腰掛けた。

「理解してくれて嬉しいよ。それじゃあ、知っていることを教えてくれ」

鷹央はソファーの背もたれに体重をかける。中本はふて腐れたように唇を歪めた。

「春日広大という男が『真夜中の絞殺魔』なのか？」

「または、春日広大の一卵性双生児の兄弟。そのどちらかの可能性が高い。少なくとも、春日広大には双子の兄弟がいたはずだ。それなのに、公的な記録にはその兄弟は存在しないことになっている。だから、どういうことなのか話を聞きに来たんだ」

鷹央の説明を聞いた中本は、湯呑を手にすると、あおるように茶を飲んだ。

「話は分かった。けれど答えは一緒だ。公的な記録に存在がないなら、その春日広大という男に双子の兄弟なんていないんだ。私はこれまで一度たりとも、医者としての倫理に反したことはしていない。これは天に誓ってもいい」

「けれど、それじゃあ道理が通らないんだ。きっと、春日広大が生まれたときになにかあったはずなんだ。どんな小さなことでもいい、思い出してくれ」

「無茶を言うな。四十年以上前のことを記録もなしに思い出すなんて不可能だ」

「早く犯人を逮捕しないと、どんどんと犠牲者が増えていくんだぞ。この犯人は完全なシリアルキラーだ。もはや人を殺すために生まれてきたような怪物になり果てている。一刻も早く逮捕する必要があるんだよ」

鷹央が勢い込んで言うと、中本の目がわずかに大きくなった。

「人を殺すために生まれ……、怪物……」

熱にうかされたような口調で中本がつぶやく。

「なにか思い当たることがあるのか⁉」

「ちょ、ちょっと待ってくれ」

ソファーから腰を浮かした鷹央に掌(てのひら)を向けると、中本はもう片方の手で額を押さえて俯いた。

「やっぱり春日広大には双子の兄弟がいたのか？　そうなのか？」

早口でまくしたてる鷹央の前で、中本が顔を上げる。

「三日……、いや二日でいい、時間をくれないか。私の想像が正しいことを確認したい。その確信さえ持てれば、すぐにでも連絡して、私が知っているすべてのことを教える」

「なんで待つ必要があるんだ。仮説でいいからいま教えてくれ」

「だめだ。さっきも言っただろ。担当した母子のプライバシー保護は私が自分に課した鉄の掟だ。それを破るには、確実な、絶対に間違いがないという確信が必要なんだ」

中本と鷹央が激しく視線をぶつけ合うのを、僕は固唾を呑んで見守る。たっぷり三分は睨み合ったあと、鷹央が口を開いた。

「その情報は待つ価値があるのか？　それが分かれば犯人に近づけるのか？」

「近づけるどころじゃない。私は……犯人を知っているのかもしれない」

「なっ⁉」鷹央は猫を彷彿させる目を大きく見開く。「なら、すぐに教えてくれ。やっぱり春日広大なのか？　それとも、その双子の兄弟か？」

「だめだ！　二日待つか、それとも私から情報を得るのを諦めるか、二つに一つだ。

どっちを選ぶ？」

鷹央は悔しそうに唇を噛んだ。

「……一日だ。明日までに情報をくれ。犯人はいつ殺人を犯してもおかしくない状態なんだ。時間がない」

「分かった、明日中に連絡をしよう。それで問題ないなら君たちはさっさと帰ってくれ。私にはいまから調べないといけないことがある」

立ち上がった中本は、天井あたりに視線を彷徨わせると、小声でつぶやいた。

「怪物……か」

「明日中ですか、なんというかもどかしいですね」

桜井がハンバーグをナイフで切る。

「仮説でもいいからさっさと教えろよな。もったいぶりやがって」

カレーとライスを乱暴にスプーンで混ぜている鷹央に、僕は冷めた視線を向ける。あなただって、いつも「途中で種明かししたらつまらない」とか言って、なかなか説明してくれないじゃないか。

一時間ほど前、中本の家をあとにして天医会総合病院へと戻る途中、桜井からスマートフォンに着信があった。

「いま、捜査会議が終わったところなんですけど、ちょっと新しい情報があったので どこかでお食事でもご一緒しませんか？」

こちらとしては異存なかったので、新青梅街道沿いのファミリーレストランで待ち合わせして、こうして三人で夕食を取っていた。

「そういえば、三浦さんは？」

僕は湯気を上げるドリアに息を吹きかけながら言う。

「捜査会議が終われば、あとは自由行動なんですが、いまは捜査本部の置かれている署の武道場に布団を敷いて寝泊まりしているんで、捜査員は署内とか近くの居酒屋で情報交換したりすることが多いんですよ。そこで二人して姿を消していたら、どこに行っているのか訝しがられる可能性がありますんでね。三浦君には署に残ってもらっています」

「お前は姿を消していても大丈夫なのか？」

鷹央がカレーを頬張ったまま訊ねた。

「私はいつもふらふらしていますから、『またか』って思われる程度ですよ」

桜井はへらへらとした笑みを浮かべる。以前から刑事らしくないと思ってはいたが、仲間の中でもやっぱり浮いているのか。

「さて、話をもどしますけど、中本先生は犯人を知っているかもしれないって言ったんですよね。やっぱりそれって、春日広大の双子の兄弟の件でしょうか？」

「それ以外考えられないんだが……」鷹央は難しい表情を浮かべる。

「何となく、全然違うことに気づいたって感じでしたね」

　僕は横から口を挟んだ。

「春日広大の出生になにか大きな秘密があるってことですかね？」

　桜井はハンバーグを口に放りこむ。

「そんなところだと思いますけど……。しかし、一日でなにを確認するつもりなんですかね。四十年以上も前のことなんて、時間をかけても思い出せないと思うんですけど」

「小鳥、お前なにを言っているんだ？　あいつは思い出そうとしているんじゃない。カルテやら看護記録やらの資料を調べなおすつもりだ。一日というのは、そのために必要な時間だよ」

「カルテ？　でも、破棄したって……」

　僕が驚きの声を上げると、鷹央はスプーンを振る。

「そんなの出鱈目に決まっているだろ。カルテがあると知られたら、見せろって刑事が言うのが目に見えていたから嘘をついたんだ。あんな暑苦しいくらい真剣に医療に取り組んでいた男が、自分の仕事の歴史ともいえるカルテをそう簡単に破棄すると思うか？」

「じゃあ、中本医師は丸一日かけて昔のカルテを見返すつもりなんですね」

つぶやく桜井を、鷹央はスプーンの先で指す。

「ああ、そうだ。もし明日中に連絡がなかったら、家宅捜索して中本の家を調べろよ。きっと、春日広大の出生時のカルテがあるはずだ」

「そんな無茶言わないでくださいよ。さすがに、捜索令状が下りませんって」

笑い声を上げた桜井だったが、鷹央の鋭い視線に射抜かれて笑みを引っ込める。

「……その際は善処します」

「お役所みたいな言い回しはやめろよ」

「まあ、警察も公務員ですから、ある意味、お役所……なんでもありません」

再び鷹央に睨まれた桜井は、首をすくめた。

「中本の家には間違いなく犯人に繋がる手がかりがある。絶対にその手がかりを手に入れる必要があるんだよ。……次の犯行までにな」

「分かりました。明日まで待って中本医師から天久先生たちに連絡がなかったら、どうにかして家宅捜索の令状を取ります。……多少、強引な手段をつかっても」

桜井の顔から嘘っぽい笑顔の仮面がはぎ取られ、その下から警視庁捜査一課殺人班刑事の顔が現れる。日常的に殺人犯を追っている男の凄みに、思わず背筋が伸びてしまう。

「けれど中本先生はなんで急に態度を変えたんですかね。なんか、『怪物』とか『人を殺すために生まれた』とかの言葉に反応していた気がしましたね」

僕は張り詰めた空気をほぐすように話を振ってみた。

「怪物……ですか？」

聞き返す桜井の顔は、くたびれた中年男のものに戻っていた。

「なにか心当たりがあるのか？」

鷹央は皿を手に取り、残り少なくなったカレーをスプーンで流し込むように口に運ぶ。

「とりあえず、食事が終わってからご説明しようと思っていたんですが、そのキーワードが出たんで先にお見せしましょう」

桜井は一年中持っている、明らかにアメリカドラマの某有名刑事を意識したと思われるトレンチコートのポケットから写真を取り出した。

「犯人が残したと思われる紙を可能な限り復元したものが、科捜研から報告されてきました。犯行声明……というより、我々警察への挑戦状ですね」

桜井は苦々しい表情で、写真をテーブルの上に置く。

愚鈍ナル　警察へ告グ
私ヲ　逮捕ショウトシテモ　無駄ダ
ナゼナラ　私ハスデニ　死ンデイルカラ
私ハ　モハヤ　コノ世ニイナイハズノ人間ダカラ
私ハ死スラ超越シタ　生マレナガラノ怪物　生マレナガラノ殺人者ダ
誰モ　私ヲ　捕ラエルコトナド　デキナイ

定規に沿って書かれたような角張った文字、そして最後には赤黒く滲んだ署名のようなものが見える。

「油性ペンで書かれていたので、雨でも文章は消えることがなかったようです」

「この最後のところの赤黒いのはなんだよ。なんとなく、カタカナっぽいけれど、ここだけめちゃくちゃ滲んで読めないじゃないか。これって、たぶん署名だろ」

「はい、最後の署名部分だけ油性ペンではないもので書かれていたんです」

「水性だったってことですか？」

「……いえ、血です。そこから、人間の血液が検出されました」

　言葉を失う僕の前で、桜井は赤黒い文字らしき跡を指差した。

「しかも、その血液を調べたところ、これまで事件現場で発見されていたものと同じDNAが検出されました。犯人が自分の血液で書いたものだと思われます」

「血の署名ってわけか」鷹央は写真を凝視する。「この犯行声明の紙やインクから手がかりは見つかっていないのか？」

「コンビニで売られているような、ごく一般的なものだということです」

「じゃあ、そこから犯人に近づくのは困難だな。あとは、この犯行声明の内容に手がかりがないか……」

　鷹央はあご先を指で撫でた。

「キーワードは『すでに死んでいる』『この世にいないはずの人間』、あとは『怪物』だな。ここを普通に考えると、春日広大が自分は記録上ではすでに死亡しているから、捕まるはずがないと宣言しているように見える」

「ええ、捜査本部でもそのような見解です」

「けれど、どうにも腑に落ちないな。犯人がやはり春日広大だった場合、自分が住んでいた春日邸の離れにまで警察の捜査が及んでいることを知っているはずだ。自分が生きているかもしれないと警察に気づかれていると分かっている。それなのに、この声明文では『自分はすでに死んでいることになっているので、絶対に逮捕できない』と自信を見せているところに違和感がある。それに、これも気になる」

鷹央は写真に写し出されている『怪物』の文字を指で触れる。

「たしかに犯人はすでに七人もの人間を殺害した怪物だ。そして春日広大なら、死んだはずの人間が生き返って犯行を行っているように見えるので、『怪物』だと自称してもおかしくない。けれどここには『生まれながらの怪物』と書かれている。この『生まれながら』になにか意味があるような気がする……」

「例えば犯人は春日広大じゃなくて、その一卵性双生児のXで。その男には生まれながらにしてなにか障害があったとかいうことですか?」

桜井が訊ねるが、鷹央は写真を睨みつけたまま答えなかった。

「Xは生まれたとき仮死状態だった。だから、出生記録に残っていない。しかし、その後、Xは蘇生して春日家以外の場所で育てられた。捜査本部でもそのような可能性は検討はしています」

「いや、仮死状態だろうが、出生時に死亡しようが、しっかり記録は残すはずですよ。春日正子の子供を取り上げた中本先生は、自分の仕事に強いプライドを持ったドクターでした。そんなおかしなことをする人には見えませんでした」

僕が反論すると、桜井は食べ終わった皿をわきに置いた。

「小鳥遊(たかなし)先生の人を見る目に文句をつけるつもりはありません。ただ、普段は聖人君子のような顔をしながら、裏でおぞましい犯罪に手を染める人間を私は数えきれないくらい見ています。だから、素直に『そうですか』と納得はできません」

僕が反論しかけると、桜井は「さらに……」と掌を突き出してくる。

「出生証明などの書類はたしかに医師が書くものですが、それを役所に届けるのはふつう両親などの血縁者ですよね。そこでなにかおかしなことが行なわれたとしたら……」

「春日正子と夫が、Xに対して何かしたって疑っているんですか？」

「ええ、そうです。いくら調べても中本産婦人科病院の悪い噂は出てこない。中本医師が違法行為に手を染めていた可能性は正直、極めて低い。だったら、春日正子とその夫がXに対して何かしたんではないかと疑うのも当然でしょう」

「何かって具体的にはどんなことですか？」

「違法な養子縁組、または何らかの問題があったXを捨てた……」

「捨てたって……。そんなことしてばれないことがあるんですか？」

「役所に出生届が出されなければ、その子供は公には存在していないことになりますからね」

「待ってくださいよ。警察は犯人が春日広大だと考えているんですよね。そしてXは四年前に、春日広大の身代わりとして死んだって。それなのに、いまの話じゃXの方が犯人で、この犯行声明を出したみたいな感じになるじゃないですか」

「もちろん、春日広大が本命ですが、Xが犯人の線も捨ててはいません。今回の犯行声明でXの可能性がやや強くなったと管理官は考えていますが、我々をそう誘導するために春日広大が書いたのではないかという疑いもあって……」

歯切れが悪い桜井のセリフからは、捜査本部の混乱が垣間見えた。

「いま考えるべきはXについてじゃない」

黙って考え込んでいた鷹央が、凛とした声で言う。

「Xに関しては、中本からの報告を待つべきだ。あの男はXについて何かを知っている。それがどんな内容なのか想像しても時間の無駄だ。それより、こっちだ」

鷹央は犯行声明の最後に書かれている四つの赤黒く滲んだ文字を指さす。

「自分の血液で書いた署名。きっとここに重要なメッセージが隠されているはずだ。犯人が自らをなんと名乗ったのか、それは大きな手がかりになる」

「けれど、天久先生。さすがにこれを解読するのは難しいんじゃないですか。分かることといえば、四文字だってことと、おそらくカタカナだっていうことぐらいで」

桜井は首筋を掻く。

「そんなことはないぞ。三文字目はおそらく長音だろう。そして四文字目は二画の文字だ。『リ』『ル』『ソ』『ン』のどれかだな」

「そうかもしれませんけど、最初の二文字が乱れすぎていて判別不可能ですよ。捜査本部でいろいろ考えましたけど、結局分からないという結論になりました」

鷹央は桜井のセリフが聞こえていないかのように、写真を凝視している。おそらく、その頭の中では可能性のある単語の組み合わせが次々に出来上がっているのだろう。僕もなんとなしに、その四文字を眺める。

「……シメール」

思わずその単語が口をついた。鷹央は顔を上げ、大きな瞳(ひとみ)で僕を見つめてくる。

「なんだ？　分かったのか？」

「いえ、別に分かったとかそういうわけでは……」

「いま『シメール』って言ったな。どういう意味だ？　なんでそう思ったんだ？」

鷹央は座席から腰を浮かすと、頭突きでもしてきそうな勢いで迫ってくる。

「いえ、あのですね……。今回の犯人は被害者を絞殺しているじゃないですか……」

僕が説明をはじめると、鷹央は機械仕掛けの人形のようにコクコクと高速で頷く。

「つまり、被害者の首を絞めている。絞める、しめる、シメール……」

鷹央の首の動きがピタリと停止する。周囲にやけに寒々しい沈黙が降りた。やがて、鷹央の目尻(めじり)が吊(つ)り上がっていく。

「お前、くだらないオヤジギャグを言っている場合か！」

鷹央の怒声が店中に響き渡った。驚いた客たちの視線がこちらを向く。

「あ、あの、鷹央先生、落ち着いて……」

「これが落ち着いていられるか。こっちが必死に悩んでいるのに。真面目に聞いた私が馬鹿みたいじゃないか。私の期待を返せ。私の集中力を返せ。ほら、今すぐ返せ！」

「すみません！　本当にすみません。ちょっと頭に浮かんだことが口をついちゃったんです。もう二度としませんから」

今回に関しては完全に自分に非があるだけに、平謝りするほかなかった。僕はメニューを手に取ると、デザートのページを開いて鷹央の前に広げる。

「ここは僕が奢りますんで、好きなもの食べてください」

怒りを鎮めるためには供物を捧げるしかない。

鷹央はひったくるようにメニューを取ると、僕を数秒睨み続けたあと、メニューへと視線を落とした。

「……このスペシャルプリン・ア・ラ・モードパフェでもいいんだな」

腹の底に響く声でつぶやきつつ、鷹央は巨大なパフェを指さす。

ケーキの食べ過ぎで昼まで苦しんでいた癖に、そんなもの食うつもりなのかよ。内心で呆れるが、僕はそれをおくびにも出さず「ええ、もちろん！」と笑顔を浮かべる。

「じゃあ、これにする」

　鷹央は吐き捨てるように言うと、コップの水を飲み干した。僕は「承知しました」と媚びを含んだ笑みを浮かべて、店員に注文をする。対面の席で桜井が呆れ顔をしているが、これは仕方ないことなのだ。

　鷹央は僕の上司にして、病院の副院長でもある。僕の当直回数、勤務内容、果てはボーナス査定まで決められる立場なのだ。さらに、（おもに鴻ノ池経由で）知られたくない秘密もいくつか握られている。この人を本気で怒らせたら、どんな恐ろしい仕打ちが待っているか分かったものではない。

「鷹央先生、注文しましたよ。すぐに来ますんで、待っていてください」

　注文を終えて振り向くと、鷹央は僕のシャツの襟元を掴み、コップに残っていた氷を中に流し込んだ。僕は悲鳴を上げて立ち上がる。

「なにするんですか⁉」

「くだらないオヤジギャグで私の集中力を乱した罰だ。これくらいで済んでありがたいと思えよ。カレーが残っていたら、それを注ぎ込んでいたぞ。そんなことより、仕切り直しだ。犯人がなんて署名していたのか考えるぞ」

　鷹央が再び覗き込もうとした写真を、桜井が手にとった。

「天久先生、無理ですって。たとえ意味のある単語が幾つかできても、犯人が本当にそう名乗っているのか、こんなに文字が滲んでいたら判別不能なんですから。下手に間違った思い込みをしたら、逆に犯人から遠ざかるかもしれないじゃないですか」

「けれど、犯人は自らの血を使ってその署名を書いているんだぞ。犯人が名乗ったその名前にはきっとなにか意味があるはずなんだ」

「たしかにそうですが……」

鷹央がはっとした表情を浮かべる。

「なあ、まだ警察はこの犯行声明について発表していないんだな」

「はあ。公式に発表するかどうか、幹部の中でもかなり揉めているもので。公開して情報を集めた方がいいという意見もありますが、そうすることにより模倣犯が出たり、犯人の自尊心が刺激されて犯行が加速するかもしれないという意見も根強くて」

桜井の答えを聞いた鷹央は、独白するようにつぶやきはじめる。

「この犯行声明は警察だけではなく、世間に向けたものだ。その状態で犯行声明についてメディアが取り上げなかったとしたら、なにか行動に出るはず……。桜井！」

「は、はい。なんでしょう？」

「犯行声明の公表を控えるように、捜査の指揮を執っている管理官を説得できるか？」

「説得……ですか。正直言いまして、一捜査員が管理官を説得するのは簡単なことではありません。ただ、今回の捜査本部の管理官は話を聞かない方ではない。その方が犯人逮捕に近づけると、論理的に伝えることができれば可能かもしれません」

「この犯人は犯行を重ねても逮捕されないことに万能感を得て、強い自己顕示欲を持つようになった。だからこそ、リスクしかないのに現場に犯行声明を残したんだ。犯人の願いはその犯行声明がメディアに取り上げられ、世間からの賞賛を得ることだ」

「賞賛？」僕は眉をひそめる。「女性を何人も絞殺して賞賛なんてもらえるわけがないじゃないですか」

「そうとも言い切れないんだよ。有名なシリアルキラーには熱狂的なファンがつくことが少なくない。しかも、この犯人は警察を翻弄している。犯行がいかに残酷で赦されないことかを想像できない人間には、犯人が国家権力を手玉に取る超越者のように感じられるんだ」

「そんな……」

「けれど、警察が犯行声明を発表しなければ、犯人の欲求は満たされることはない。肥大しきった自意識を癒すために、犯人は次の行動に移るはずだ」

「また女性を絞殺するんじゃないですか？」桜井は疑わしげに言う。

「その可能性は低いはずだ。たしかに暴走期に入っているが、それでもこの犯人はＤＮＡ以外、自分に繋がる証拠をほとんど残していない。犯行には監視カメラの有無、人通りなど、最低限の準備期間が必要だ。それに、犯行を犯したとしても、世間にメッセージを届けるという目的は果たされるとは限らない。また、警察が犯行声明を握りつぶすかもしれないからな」

「じゃあ、犯人は何をすると？」

「殺人よりもずっと簡単で、確実に自分の声を世間に届けられる方法だ。マスコミに直接犯行声明を送るのさ」

鷹央は得意げに言うと、左手の人差し指を立てる。

「『真夜中の絞殺魔』からの犯行声明だ。間違いなく視聴率を稼げる。マスコミと犯人、完全にウィンウィンの関係だ。喜び勇んで公表するだろう。そして、私たちにも大きなメリットがある」

「メリット？」

「そうだ。新しい犯行声明には、今回雨で消えている犯人の署名が書いてあるはずだ。さらに、消印などから犯人が犯行声明をいつどこから投函（とうかん）したかも絞り込める。犯人に近づく手がかりが間違いなく増えるぞ。だから、犯行声明を公表しないように管理官を説得するんだ」

鷹央は難しい表情で黙り込む桜井を見つめる。ウェイトレスが「お待たせしました―」と巨大なパフェを持ってきても、その視線が動くことはなかった。

桜井は大きく息を吐くと、肩をすくめる。

「本当に人使いが荒いですね。分かりました、なんとか説得してみましょう。いま天久先生がおっしゃったメリットを伝えれば、管理官も納得すると思います」

「頼りにしているぞ」

鷹央は笑みを返すと、スプーンをパフェに突き刺した。

3

「遅い！」若草色の手術着姿で、ソファーで胡座をかいていた鷹央が怒声を上げた。

「小鳥、いま何時だ？」

「すぐそこの壁に時計が掛けてあるでしょ。午後十時十二分です。ちなみに、四分前にも先生は『遅い』って叫んでいました」

椅子に腰かけて内科学の参考書を眺めていた僕は、呆れ声で言う。

「しょうがないだろ、本当に遅いんだから」鷹央声を荒らげた。

僕たちが中本の家を訪れた翌日の火曜日、勤務時間内には中本からの連絡はなく、仕方なく僕は鷹央の〝家〟でこの時間までだらだらと過ごす羽目になっていた。一応、こちらからも何度か中本の家に電話をかけているのだが、留守電になるだけだった。

「やっぱり、勤務時間が終了した時点で中本の家に押しかければよかったんだ。それなのにお前が、『もうちょっと待ちましょう』なんて言い出すから」

「まだ『今日』は一時間四十五分以上ありますよ。時間内に連絡してきますって」

あれだけ礼儀を重んじる男が「必ず連絡する」と約束したのだ。

「本当かよ。もし深夜零時までに連絡なかったら、すぐにあいつの家に行くからな」

鷹央はローテーブルの上に置かれているウイスキーボンボンの箱に手を伸ばす。鷹央の手が銀紙に包まれたウイスキーボンボンをつかむ前に、僕は箱ごと取り上げた。

「なにすんだよ！」

「食べ過ぎですよ。お腹を痛めたばかりでしょ」

僕が危惧したとおり、鷹央は今日の朝から、ぶり返した胃痛に苦しめられた（間違いなく、あの凶悪なほど巨大なパフェが原因だ）。また何種類か胃薬を飲んで、ようやくさっき、症状が治まったのだ。

「まったく、やっと治ったのに、またこんな胃に負担のかかりそうなものをばくばくと。学習能力がないんですか」

「学習能力がない!? この私が!?」鷹央は目を剝く。「学習に関して私は、お前の百倍はハイスペックだぞ」

「鷹央先生がハイスペックなのは認めますよ。けれどそれなら、治ったばかりの胃を少しはいたわってください」

「いまは胃よりも、イライラで頭の方がおかしくなりそうなんだ。この苛立ちを抑えるには、甘いものか酒が必要なんだよ」

だから、両方同時にとれるウイスキーボンボンを食べていたのか。

「なんにしろ、これ以上はだめです。他にイライラを抑える方法を考えてください」

「情報だ！　それなら、さっさと中本からの情報をよこせ。情報かウイスキーボンボンがいまの私には必要なんだ」

鷹央はソファーの上で体を回転させて仰向けになると、四肢をばたばたと振りはじめた。もはやおもちゃをねだる幼稚園児だ。

もう面倒くさいから、ウイスキーボンボンを口に押し込んでおこうかな。そんなことを考えはじめたとき、ソファーの肘掛けに置いていたスマートフォンがジャズミュージックを奏ではじめた。駄々をこねていた鷹央は、バネ仕掛けの人形のように勢いよく上半身を起こした。

「中本からの連絡か？」

「……いえ、違います」僕は液晶画面の表示を見る。「桜井さんからですね」

鷹央の顔から潮が引くように笑みが消えていった。

「偽コロンボがなんの用だ？」

「知りませんよ、まだ電話とっていないんだから」

僕が通話ボタンを押すと、鷹央は「あんな奴に興味ない」とクッションを抱きしめて背中を向けてしまった。完全にふて腐れてしまったようだ。

「はい、小鳥遊です」

『小鳥遊先生！　天久先生と一緒ですか？』電話から焦燥を含んだ声が響いてくる。

「はぁ、まあ一緒にいますけど、中本先生から連絡が来なくてご機嫌斜めなんで、電話には出てくれないと思いますよ」

『その中本先生が大変なことになっているんです！』

「中本先生が？　なにかあったんですか？」

僕が聞き返すと、中本の名に反応したのか、鷹央が首だけ回してこちらを見る。

『いまって、病院の屋上ですか？　もしそうなら、外に出てください。その方が口で説明するより早いです』

僕は「外に？」と立ち上がる。

「どうした？　中本がどうかしたのか？」鷹央もソファーから跳ね起きた。

「いえ、よく分からないんですけど、外に出ろって桜井さんが……」

僕は玄関扉を開けて屋外に出る。鷹央も後ろからトコトコと付いてきた。

「出ましたけど、何があるって言うんですか？　特に異常は見当たらないですけど」

『東です。東側を見てください』

東？　ということは反対側か。僕は〝家〟の裏手に回り込むと、屋上の縁にあるフェンスの前までやってくる。この周辺は高い建物は少ないため、遠くまで見通すことができた。

「東側に来ましたけど、何を……」

異変に気づいた僕は口をつぐむ。かなり遠く、おそらく数キロは離れたあたりに、生活光とは明らかに異なった紅色（あかいろ）の明かりが見えた。目を凝らして息を吞む。それは炎だった。巨大な炎の柱と大量の煙が、漆黒の夜空に向かって立ち昇っていた。

「火事か。かなり派手に燃えているな」

隣にやってきた鷹央が、フェンスに手をかけながらつぶやく。

ここから東に数キロということは、おそらく西東京市だろう。そういえば、最近あの周辺に行った。そして桜井の焦り具合。もしかして燃えているのは……。心臓の鼓動が加速する。

「おい、ちょっと待て。まさか、あそこって中本の……⁉」

鷹央が甲高い声を張り上げた。

『そうです、中本先生の家から火の手が上がっているんです』

鷹央の声が聞こえたのか、桜井が叫ぶように言う。

「小鳥、行くぞ！」鷹央は身を翻して走り出した。

「え？　行くってまさか……」

「中本の家に決まっているだろ」

鷹央の姿が〝家〟の向こう側に見えなくなる。僕は「また連絡します」と言って通話を切ると、鷹央の後を追って走り出した。

病院をあとにした僕と鷹央は、RX－8で中本の家へと向かう。十数分走り、現場へと近づくにつれ、外から消防車や救急車のサイレン音が聞こえるようになり、不安げな表情で家の外に出ている住人の数も増えていった。

中本の家まではもう数百メートルだ。僕は身を乗り出して、フロントガラスから紅く染まっている夜空を見上げる。大通りから中本の家がある路地へと入ろうとしたところで、誘導灯を手にした制服警官が車の前に立ちはだかった。

「こちらにはいま入れません。まっすぐ進んでください」

警官は助手席側から声をかけてくる。僕はサイドウィンドウを下げた。

「知り合いの家が火事になっているらしいんです。入れてもらえませんか？」

「だめです。ここから先は緊急車両しか入れません。直進してください」

警官は強い口調で言う。そのとき助手席に座っていた鷹央が、勢いよく車の扉を開いた。警官は慌てて後ずさる。

「邪魔だ、どけ」

車を降りた鷹央は警官を一睨みすると、僕が声をかける間もなく駆けだす。警官が「あ、待ちなさい」と叫ぶが、すでに鷹央の小さな背中は路地へと消えていた。

「ああ、もうあの人は！」

僕はRX－8を数メートル進めて路肩に停めると、車外へと飛び出す。

「ちょっと、そんなところに停めたらだめだよ」

「緊急事態なんです。すみません」

近づいて来た警官の脇をすり抜けるように、僕は走り出す。背中で「だから、そっちに行くなって言っているだろ」という怒声を聞きながら、僕は路地へと飛び込んだ。これ、絶対に駐禁キップ切られるな。頭を抱えながら鷹央を追うと、すぐに手術着を着た背中が見えてきた。

速度を緩めた僕は唖然とする。前方二十メートル辺りの所に野次馬の人垣があり、そのさらに奥、中本の家があったあたりに巨大な炎の柱がそびえ立っていた。消防車の放水がいくつも放物線を描いているが、炎の勢いは弱まる気配を見せない。

僕は人垣でつっかえている鷹央に追いつく。

「勝手に一人で行かないでくださいよ」

「中本の家が燃えているんだぞ。あいつの家には『真夜中の絞殺魔』の手がかりがあったはずなんだ。それが燃えていたらどうするんだ」

鷹央は必死に人垣の奥へと進もうとする。その表情には不安と焦りが浮かんでいた。

「……分かりました」

たしかに、中本が無事なのか、手がかりは持ち出せたのかを知る必要がある。僕は鷹央の前に体を入れると、密度の高い人垣を強引に掻き分けていく。周囲から睨まれたり、舌打ちが飛んだりするが、「すみません、知り合いの家なんです」と進んでいった。三分ほどかけて厚い人垣を抜けると、規制線が張られていた。その向こう側には制服警官が何人も立っている。

僕は反射的に顔の前に手をかざす。炎までは数十メートル離れているというのに、ここまで熱が届いていた。やはり火災現場は中本の家だ。しかし、炎の勢いが強すぎて、もはや建物の姿を確認することすらできない。鷹央が規制線を潜り抜けるが、すぐに制服警官の一人がその前に立ち塞がった。

「規制線内に入らないでください。ここから先は危険です」

「あそこに住んでいた男は無事なのか？　そいつに用があるんだ」

「いまは分かりません。ここから先には入れません」

鷹央が振り返って僕を見る。その視線の意味はすぐに理解できた。僕に警官を排除させ、突破するつもりなのだろう。けれど、僕は動かなかった。

「小鳥！　何しているんだ！」

焦れたような鷹央の声を、僕は炎を見つめたまま黙殺する。いま僕たちがあそこに行ってもできることなんてない。それに、これ以上近づくのは危険すぎる。

「鷹央先生、戻りましょう」

諭すように言うと、鷹央は僕のシャツの襟元を掴んで引きつける。

「中本の情報が必要なんだ！　あいつは何かを知っていた。あいつから情報を得られないと、また犠牲者が出るかもしれないんだぞ」

僕は襟を掴んでいる鷹央の手を、両手で包み込んだ。

「分かっています。けれど、僕たちにはあの火事に対してなにも出来ません。消防隊も消火活動で必死です。中本先生の安否を確認できる状態じゃないですよ。それに、もしこれ以上近づいて鷹央先生に何かあったら、誰が『真夜中の絞殺魔』を追い詰めるんですか？　ここは消防隊に任せましょう」

鷹央の表情が炎に炙られた蠟のようにゆがむ。当然、鷹央も分かっているはずだ。この場で僕たちに出来ることなどないと。けれど、また犠牲者が出るかもしれないという焦燥が、衝動的な行動を取らせているのだろう。

「鷹央先生、いったん病院に戻りましょう」

僕は再び促す。力なく頷いた鷹央は、緩慢な動きで規制線のこちら側に戻ってきた。

僕は鷹央のそばに寄り添うと、背中に炎の熱を感じながら、再び人垣を掻き分けはじめた。

「どうも、お邪魔します」

翌日の昼すぎ、午前の診察を終えた統括診断部の外来診察室に、桜井が重い足取りで入ってきた。昨日、火事現場から天医会総合病院に戻ってきたあと（予想通りRX－8には駐禁キップが切られていた）、あらためて桜井に電話して、状況が分かり次第、連絡をくれるように頼んでいた。

深夜に連絡があっても対応できるように、僕は自宅に帰らず、鷹央の〝家〟のソファーで一夜を明かした。そして明け方、ようやく桜井から電話があり『込み入った話になりますし、すぐに捜査会議なので、昼に説明をしに行きます』と伝えられたのだった。

「お疲れ様です」

僕は声を掛けながら、桜井を観察する。目の下には濃いくまが浮かび、元々の猫背がいつも以上に曲がっている。おそらくは一睡もしていないのだろう、その全身からは強い疲労感が滲んでいた。

「疲れました」崩れ落ちるように、桜井は患者用の椅子に腰掛ける。

「いったいなにが起こったんだ。さっさと説明しろ」

隣の椅子に座る鷹央が、苛立ちを隠すことなく急かした。桜井は一度大きく息を吐くと、弱々しい声で説明をはじめた。

「昨日の午後九時二十四分、近所の住人より中本先生の家で火事が起きているという一一九番通報がありました。消防隊が到着した時にはすでに家全体が炎に包まれている状態で、最終的に消防車十二台が出動して消火に当たりましたが、完全に鎮火するのに本日の午前二時過ぎまでかかりました」

「そんなことより、中本だ。中本は無事なのか？」鷹央は椅子から腰を浮かす。

「現在、行方不明です。ただ、鎮火後に消防隊が捜索したところ、……ひどく焼けた遺体が一体発見されています」

「それは中本の遺体なのか⁉」

「まだ司法解剖が行なわれていないため、はっきりとしたことは分かっていません。歯科の記録などを使って身元確認をする予定です。しかし、現場での検視で高齢の男性の遺体であると確認されていますので、おそらく……」

　鷹央の奥歯がぎりりと軋みを上げる。

「なにか手がかりは発見されていないのか？『真夜中の絞殺魔』に繋がるような手がかりは。中本は家のどこかにカルテを保管していたはずだ。その一部でも焼けずに残っていたりしないのか？」

「いえ、まったく残っていません。そのカルテ庫らしき場所が火元で、全てが燃えてしまっています。しかも、遺体が発見されたのも、その場所でした」

「カルテ庫が火元……」鷹央は呆然とつぶやく。

「ええ、中本先生の家には広い地下室があり、そこに金属製のラックが並べられていました。ラックにはなにか書類のようなものが並べられていた痕跡がありましたので、それがカルテだったんでしょう。けれど、全て灰になっています。そして、遺体は部屋の中心で発見されています」

「……その遺体、死因は焼死なのか？」

「さっき申し上げたように、まだ司法解剖がはじまっていないので断言はできませんが、検視官は火が出る前に死亡していた可能性が極めて高いと判断しています。死体の肋骨にナイフのようなもので刺されたような痕跡が見つかっていますから」

「……殺されたのか。手がかりを消すために」鷹央はうめくように言う。

「捜査本部ではそのように考えています。中本先生が保存していたカルテには、『真夜中の絞殺魔』の正体に迫る重要な手がかりがあった。どうにかしてそれを知った犯人は、家に忍び込んで中本先生を殺害したのち、遺体を地下のカルテ庫に運び、全てのカルテが燃えるように燃焼促進剤を撒いて火を放ったのだろうと」

「燃焼促進剤？」聞き慣れない単語に、僕は聞き返す。

「灯油とかの石油燃料のことだよ。昨日ぐらい激しく燃えていたところを見ると、おそらくはガソリンだろうな。ガソリンを撒いて火をつければ、爆発的な燃焼を引き起こすことができる」

鷹央が舌打ち混じりに説明した。

「消防でもガソリンを使用した放火の可能性が極めて高いと考えているようです」

「犯人は昨日の夜に中本先生を殺して、放火をして逃げたっていうことですか？」

僕の問いに、桜井は「いえ」と首を振る。

「昨日の夜とは限りません。火元と思われる地下室からは自動発火装置の残骸と思われるものが見つかっています。時計などを材料にしたもので、ネットなどを見れば簡単に作ることができます。犯人はガソリンを撒いたあと、その装置をセットして中本先生の家をあとにしたんでしょう」

「じゃあ、犯行時間は分からないということですか？」

「ええ、そうです。遺体もあれだけ焼けていると、死亡推定時刻を割り出すのは難しいでしょうね。完全に犯人にしてやられました。重要な情報を知っている参考人を殺され、その記録もすべて焼かれてしまった」

桜井は力なくうなだれる。徹夜で働いたことよりも、犯人に翻弄され、手がかりを失った無力感によって疲労しているのだろう。いたたまれなくなった僕は、重い空気を誤魔化すように声を上げる。

「あの、警察の捜査はどうなっているんですか？　春日広大の顔写真を全国の警察に回したり、Xの可能性がある人のDNA検査とかしているんでしょ」

「いまのところ収穫はありません。春日広大に似た男を見たという情報もありませんし、DNA検査もすべて空振りです」

「……一歩先に行かれている」うつむいたまま鷹央はぼそりとつぶやいた。

「え？　なんですか鷹央先生」僕は横目で鷹央を見る。

「今回の犯人は警察や私の一歩先を行っている。中本の件は特にだが、それ以外でも、完全にこちらの行動が読まれている。最初はたんに頭が切れるだけだと思っていたけれど、ここまで来るとそれだけじゃない気がする」

「警察から情報が漏れているとお疑いですか？」桜井の声が鋭くなる。

「今回の捜査には大量の捜査員が投入されているんだろ。いくら情報を漏らさないように指導しても、全員の口に鍵を掛けられるわけじゃない。お前みたいに、内緒で情報を漏らす奴もいるしな」

当てつけられた桜井は、居心地悪そうに身じろぎをした。

「私のことは別にして、犯人に情報を漏らすような捜査員はいませんよ」

「誰が犯人なのか分かっていないのにか？」

「とはいっても、春日広大かその一卵性双生児とまでは予想がついていますからね。たとえ、形成手術などで顔を変えていたとしても、四十歳前後で事件についてしつこく探りを入れてくる男がいれば、記者だとしても目をつけられているはずです」

「直接探りを入れてきているんじゃなく、別人を使って間接的に情報を集めている可能性だってあるぞ。情報が漏れている可能性は十分にあるだろ」

桜井の表情が不満げに歪む。重苦しかった空気に、さらに険悪な雰囲気が漂ってきた。

「鷹央先生も桜井さんも、ちょっと落ち着きましょうよ。これじゃあ犯人の思うつぼじゃないですか」

僕が諭すと、桜井が「すみません、苛ついてしまい」と視線を落とした。鷹央も「私も悪かったよ」と小声で呟く。かすかに緩んだ空気に、僕は胸を撫でおろした。

「ああ、本当にどうなっているんだよ。今回の事件はわけが分からない」

鷹央は軽くウェーブのかかった黒髪を両手で掻き乱す。

「犯人は辻章介と兄弟関係にあり、春日家の裏手のプレハブ小屋に隠れていたのは判明している。さらに、そいつと同じDNAがついたカッターが、六年前に修復した壁の中から発見された。それにより、犯人は春日広大か、その一卵性双生児のXだと考えられる。そこまではいい。四年前に私が死亡診断をくだしたのがXなら、犯人は春日広大。春日広大なら、犯人はXだ」

鷹央は早口でまくしたてる。

「春日広大とXは同一の遺伝子を持っているので、外見も酷似しているはずだ。形成手術を受けていたらその限りじゃないが、それでも年齢や雰囲気はそこまで大きくは変えられない。DNAと年齢、さらに外見と犯人を見つけるために必要な情報はそろっている。それなのに、警察のマンパワーをもってしても、いまだに逮捕に至っていない」

桜井は「面目ありません」と首をすくめるが、鷹央は気にせずしゃべり続ける。

「それどころか、事件現場に犯行声明を残していくほど犯人は大胆になっている。犯人には絶対に捕まらないという自信があるとしか思えない。犯行声明の内容もまさにそんな感じだ。あの『私はすでに死んでいる』という言葉は何を意味しているんだ？　最初は、春日広大が記録上死亡している件かと思っていたが、もしかしたら違うのかもしれない。私は根本からなにか間違えているのかもしれない。なんだ？　私は何を見落としているんだ？」

鷹央は俯いて自問すると、痛みをこらえるような表情で黙り込む。

「あ、あの、そういえばお伝えし忘れていたことがあったんですが」

桜井がおずおずと言うと、俯いたまま鷹央は視線だけ上げた。

「えっとですね、『春日正子の子供が双子だった』と証言した近所の人の話です。先日、私と三浦君でその方に話を聞きに行ってきました。昔から近所に住む六十代の主婦で、夫とは死別していまは三十歳前後の長男と同居を……」

「そんなことどうでも良いから、さっさと結論を言えよ。春日広大に双子の兄弟がいたはずだって、その女は証言したのか？」

「昔の話なんで記憶が曖昧らしいですが、双子を妊娠したと春日正子が言っていたのはたしかだったということです」

鷹央が突然、勢いよく顔を上げる。

「妊娠した⁉　双子を出産じゃなくて、妊娠したって言っていたのか？」

「はぁ、そうですけど、それがなにか？」

「妊娠中にどうやって双子だって分かったんだ？　その女はなにか言っていたか？」

「たしか超音波検査で分かったと、春日正子が言っていたらしいです……」

「超音波⁉」鷹央の声が裏返った。

「ど、どうしたんですか、天久先生。超音波検査がなにか？」

「その女は、『春日正子が昔、超音波検査で双子を妊娠していることが分かったと言っていた』と証言しているんだな。間違いないんだな？」

「間違いありません。ちゃんとこの耳で聞きましたから。あの、超音波検査で双子だって分かったら何か問題があるんですか？」

「大ありだ！　胎児を見る目的で妊婦に対して初めてエコー検査、つまり超音波検査が行なわれたのは、一九七六年だ。その後、大学病院などを中心に導入がはじまり、個人の産婦人科でも一般的に胎児のエコー検査が行なわれるようになったのは一九八〇年代になってからだ」

一九八〇年代ということは……。頭の中で計算をした僕は目を見開く。

「それっておかしいじゃないですか。計算が合いませんよ」

「そうだ。春日広大が胎児だった頃には、まだ妊婦にエコー検査なんて行なわれていなかった。当然、双子を妊娠していることがエコー検査で判明するわけがないんだよ」

「そんな……」桜井は焦りの滲む声を上げる。「でも、春日正子が双子を妊娠していると言っていたことは間違いないんですよ」

「なら、双子の兄弟がいるのは春日広大じゃない。その弟の辻章介だ。辻が生まれた時期には、妊婦に対する超音波検査も一般的になっている。Xは辻の双子の兄弟だったんだ。春日正子は四十二年前でなく、二十八年前にXを出産したんだ」

「もしかして、中本先生が殺されたのって……」

僕は探るように鷹央に視線を送った。

「ああ、中本が保管していたカルテに、その記録が残されていたからという可能性が高いな。公的に記録がないということは、春日正子はXの出生届を役所に提出していないんだろう。Xが存在する唯一の記録が、中本が保管していたカルテだったんだ」

「ちょ、ちょっと待ってください」桜井が声を上ずらせる。「だとすると、春日広大には一卵性双生児が、同じDNAを持つ者がいないということになりますよね。じゃあ、四年前にこの病院で死んだのは……」

「ああ、春日広大本人で間違いないな。一卵性双生児がいない以上、同じ顔をして身代わりになる男もいないということだ。つまり、春日広大は犯人じゃない。辻章介の双子の兄弟であるXこそ『真夜中の絞殺魔』だ」

「そんな……、私たちは春日広大かその一卵性双生児が犯人だと思っていたから、四十歳前後で春日広大に似た男を探していたんですよ。それなのに、Xは十歳以上も若いなんて……。それじゃあ、捜査は振り出しだ」

桜井は両手で頭を抱える。

「Xが春日広大の一卵性双生児と思われていたのは、犯行現場のDNAと、六年前に修復された春日家の壁から出てきたカッターに付いた血液のDNAが一致したからだ。しかし、春日広大に一卵性双生児の兄弟がいないなら、別の解釈になる」

鷹央はいったん言葉を切ると、人差し指を立てた。

「Xはその時期、すでに春日家に入り込んでいた。おそらく、春日正子や春日広大に取り入っていたんだ」

「でも、辻さんはそんな人物がいたことは一言も……」

桜井は頭を抱えたまま、力なく反論する。

「辻はその頃、最初の結婚をして家を出ている。しかも、母親が教団に入ったので、敬遠して実家には近づいていなかった。実家で何が起きていたのか知らなくても不思議じゃない」

あっさりと論破された桜井の背中がさらに曲がる。これまで自分たちが泥水をすするような思いで積み重ねてきた捜査が、まったく見当はずれのものだったと知ったのだ。仕方がないだろう。

口元に手を置いた鷹央は、ぼそりとつぶやいた。

「いったい、Xは誰なんだ」

4

「……いったい、Xは誰なんだよ？」

扉を開けた瞬間、うわごとのような声が鼓膜を震わせる。見ると、〝本の樹〟の周りを鷹央がおぼつかない足取りでぐるぐると回りつつ、時々すぐわきのデスクに置かれたパソコンのディスプレイを覗き込んでいた。その画面には、桜井からもらった絞殺魔の犯行声明の映像が映っている。

「あ、あの、鷹央先生……、大丈夫ですか？」

　薄暗い部屋の中、ふらふらと揺れて歩く鷹央の姿は、ホラー映画に出てくるゾンビを彷彿させた。

「だから、Xは誰なんだよ……」

　鷹央は僕の声が聞こえていないかのように徘徊(はいかい)し続ける。

「鷹央先生！」

　声量を上げると、鷹央がようやくこちらを向いた。僕を見る目の下は、アイシャドーを引いたかのように、濃いくまが縁取っている。

「ん……？　ああ、小鳥か。なにやっているんだ？」

「それはこっちのセリフです。まさか昨日からずっと徘徊し続けているんじゃないでしょうね？　ちゃんと眠っていますか？」

「昨日……？　眠って……？　いまは何時だ？」

「六時すぎですよ」

「午前、それとも午後？　そもそも、今日は何曜だ？」

「金曜日の午後六時過ぎです。やっぱり眠っていないんでしょ」

Xこそ『真夜中の絞殺魔』であり、おそらくは辻章介の双子の兄弟であることが分かってからすでに丸二日が経過していた。水曜の昼からいままで、鷹央はこうしてXの正体を考え続けている。しかし、あまりにも手がかりが少ないこの状況では、その頭脳をもってしても答えを出せずにいた。

頼みの情報源である桜井からもほとんど連絡が来なくなったので、昨日の夕方にこちらから電話をしてみた。Xが春日広大の一卵性双生児ではなかったという情報で捜査本部はかなりの混乱状態に陥っているらしく、捜査の立て直しに必死で新しい情報はまったく入ってきていないということだった。

昨日、勤務を終えた僕が〝家〟をあとにする際も、鷹央はディスプレイに犯行声明を映し出しながら部屋の中を歩き回っていた。その様子が心配だったので、今日、救急部の勤務が終わった後にこうして〝家〟を覗いてみたのだ。

「鷹央先生、少しは休んでください。このままじゃ、倒れちゃいますよ。この二日間、徹夜していたでしょ」

「けれど、まだXが……」

「完全に思考の袋小路に陥っているじゃないですか。まずは一回休みましょう。その方が、このまま考え続けているより効率的ですって」

僕は鷹央の細い手首をつかんで、ソファーの方へと連れていく。普段なら「うるさい、ほっとけ」などと暴れそうなものだが、今日は大人しくついて来た。さすがに疲労困憊で、抵抗する気力もないらしい。

「はい、ちょっと横になってください」

僕が促すと、鷹央は倒れこむようにソファーに横たわり、片腕で目元を覆う。

「本当にXはどこに……」

「いまは考えない！」

「けれど、このままだとまた被害者が出るんだぞ。だから、どうにかして……」

もはや喋る気力もないのか、セリフが途切れる。

背負いこみ過ぎだよ。僕は深いため息をつく。

四年前、鷹央が春日広大に下した死亡診断が間違っていたのではないかという疑いから、僕たちはこの事件にかかわりはじめた。しかし、いまやその可能性はほぼなくなった。春日広大は間違いなく亡くなっており、辻章介の双子の兄弟であるXが『真夜中の絞殺魔』だと考えられている。

すなわち、今回の件に僕たちがかかわる必然性はもはやないのだ。にもかかわらず、鷹央は犯人を止められないのは自分の責任であるかのように感じている。自分以外にこの犯人の正体を暴けないという自負が、そうさせているのかもしれない。

鷹央が何かにのめり込むと、周りが見えなくなるほど集中するのはいつものことだ。

しかし、今回は現在進行形で被害者が出ている事件だけに、精神的な負担が大きくなっている。普段なら自らの知能を使えることを喜び、生き生きと謎に立ち向かっているのに、今回はこれまでにない悲壮感が漂っている。

少しは肩の力を抜いて欲しいんだけど、そんな器用なことができる人なら、そもそもこんなにボロボロになっていないしな。

「鷹央先生。僕になにかできることはありますか」

僕が囁くと、鷹央は目元を手で覆ったまま弱々しくつぶやく。

「……情報。Xの手がかりになるような情報が欲しい」

「無茶言わないでくださいよ。それに、事件のことは少しの間、忘れてください」

「……じゃあ、甘いもの。甘いものが食べたい」

「分かりました。けど、この前まで胃を悪くしていたから、和菓子ですよ」

「……うん」珍しく素直に鷹央は頷く。よほど消耗しているのだろう。

僕は〝家〟を出ると、病院の一階にある売店へと向かい、饅頭と羊羹を買って戻る。

「はい、鷹央先生、買ってきましたよ」

僕が饅頭と切った羊羹をローテーブルに置くと、鷹央はソファーに横たわったまま腕を伸ばして、糖分補給を開始する。和菓子を咀嚼するもそもそとした音が部屋に響いた。

十数分かけて饅頭と羊羹を腹に収めた鷹央は、少し落ち着いたのか深く息を吐いた。

「今日はもう寝てください。あとで、僕が桜井さんに電話をかけて、なにか新しい情報がないか訊いておきますから。事件については明日からまた考えましょう」

僕が帰ろうとすると、鷹央が手を伸ばし、救急部のユニフォームの裾を摑んできた。

「なあ、なんでXの正体が分からないんだと思う？」

「だから、ちょっと事件のことは忘れましょうって」

僕が諭すが、鷹央は弱々しく首を振った。

「忘れられないんだ。私の脳は物事を忘れられないように、常に思考するようにできている。普段はそれでもいいんだ。頭を使うのは私にとって楽しいことだから。ただ、今回は謎が解けないと……人が死ぬ。だから……」

だから、こんなに苦しんでいる。超人的な頭脳を持つからこその苦悩。それがどんなものなのか、一般人の僕には完全には理解できない。しかし、とてつもない負担だということは、その姿から十分に感じ取れた。

「けれど、少し落ち着いたからこのまま寝られそうだ……。それまでの間、少し話し相手になってくれないか。一人で考え込んでいるより、誰かに話している方が気が休まる。もし、救急部の勤務で疲れていたら無理しなくてもいいけどさ」

無理しなくてもいい⁉　この人が気づかいを？

普段はこちらの都合など無視して、傍若無人に僕を振り回し続ける鷹央の口から出たセリフに衝撃を受ける。そこまで弱っているのか。正直疲れてはいるが、こんな状態の鷹央を置いて帰ることなどできるわけがなかった。

「大丈夫です。今日は救急部の陣内君も一緒に勤務していたんで、比較的楽でしたから」

「ああ、陣内か。あいつは研修医の頃からフットワークが軽かったんだよ。あれだ、頭より先に体が動くタイプってやつだな」

それはちょっと意味が違うような……。

「まあ、あいつもノリが軽いけど、実はけっこう苦労しているんだぞ。たしか母子家庭で、母親が……。母親と言えば、春日正子のことだけど……」

せっかく話が事件からそれたと思ったが、すぐに軌道修正されてしまった。僕は仕方なく「春日正子がどうしました？」と訊ねる。

「春日正子は二十八年前、辻章介とXの双子を生んだ。これは、近所に住むやつの話からおそらく間違いないだろう」

「辻さんとXは、二卵性双生児だったってことですね」

「そうだな。一卵性なら辻と同じDNAのはずだからな。そういう意味では、辻は命拾いしたな。もしXと一卵性双生児なら、DNAが同一だから、辻こそ『真夜中の絞殺魔』だという判定結果になり、濡れ衣を着せられていたはずだ」

「そういえばそうですね」

無実を訴えても、記録にない兄弟が犯人だとは誰も思わないだろう。

「双子を出産後、春日正子はなぜか辻だけを息子として育て、Xは手放した」

「なんでそんなことをしたんでしょう？　もしかして、犯行声明の『生まれながらの殺人者』という言葉とか、関係あるんですかね」

「先天的な障害があったからということか？　可能性はゼロじゃないな。春日正子の夫は、長男を虐待するような男だった。そういう、非倫理的な行動に出てもおかしくない」

障害があったという理由で、生まれたばかりの息子を捨てる。想像しただけで反吐が出そうな行為だ。鼻の付け根にしわが寄ってしまう。

「『生まれながらの殺人者』か。先天的な障害を示唆する言葉としてはかなり不自然だ。なにか他の意味があるかもしれない。私が見落としているような……」

鷹央の眉間にしわが寄る。僕は慌てて口を開いた。

「悩むのは明日以降にしましょう。いまは状況をまとめるだけということで」

「……分かったよ」

いつもこのくらい素直なら助かるのだが。

「その捨てられたXだが、六年前には春日家に入り込んでいる。春日正子の夫が死んだのが七年前だから、そのあとすぐに接触があった可能性が高い」

「息子を捨てた夫が死んだので、Xに会いに行ったということですかね。そうなると、春日正子はXがどこで育っているのか、把握していたことになりますね」

「Xの方から接触した可能性もあるが、そっちの方が可能性が高いな。春日正子はXの正体を隠すために文字通り命を賭けた。火野をそそのかして春日広大の遺体を始末させ、捜査を攪乱(かくらん)した。その上で、警察の尋問に自分が耐えられないと考え、自殺している。ここまでするということは、Xに対してよほど強い愛情を持っていたはずだ。通常、そこまでの愛情は、成長を見守ってきた相手にしか注げない」

「愛情だけじゃなく、手放した負い目もあったんでしょう。だからこそ、春日正子は命を捨ててまでXを守ろうとした」

「そうだな。なんにしろ、六年以上前から春日正子はXと接触をして、家に招き入れている。最近は春日広大が住んでいたプレハブ小屋を使用させていた。けれど、警察があの家については徹底的に調べたはずなのに、Xの情報は全くない」

「春日家にＤＮＡは残っているのに、誰も姿を見ていない。そういうことですね」

「春日家だけじゃない。事件現場でもほとんど目撃情報がないのに、ＤＮＡだけは採取されている。なんで誰も目撃していないんだ？　なんで、ＤＮＡだけそんなに無防備に残しているんだ？　まったくわけが分からない！」

「鷹央先生、落ちついてください。あとで桜井さんからなにか新しい情報が貰えるかもしれないし」

「そうだ、情報だ……。情報さえあれば、見落としているなにかに気づけるかも……。そうなれば、一気に解決できる。そんな気配が……」

ようやく眠くなってきたのか、鷹央のセリフが間延びしてくる。

「Xは近くにいる、そんな気がする……。きっと、私たちはもう、Xに会って……」

鷹央のセリフが途切れる。耳を澄ますと、かすかな寝息が聞こえてきた。

ようやく眠ってくれたか。胸を撫でおろした僕は、ソファーの下に常備されている毛布を取り出すと、鷹央にかける。

「ゆっくり休んでください、鷹央先生」

僕は小声で囁くと、音を出さないように〝本の樹〟の間を縫って玄関へと向かい、〝家〟から出た。裏手にあるプレハブ小屋に入った僕は、窓から〝家〟を眺める。

三日ぶりに睡眠をとることで少しは回復してくれればいいのだが、それだけでは根本的な解決にならないだろう。自分がXの正体を暴き、これ以上の被害者が出るのを防がなくてはいけないという責任感が鷹央を憔悴させている。事件が解決するまで、鷹央は消耗し続けてしまうだろう。それどころか……。

室内には熱がこもっているというのに、全身を寒気が走る。もし新しい被害者が出てしまったら、鷹央はそれを自らの責任として背負い込むに違いない。それが、彼女の精神にどれだけのダメージを与えるか、想像しただけでも恐ろしかった。

この事件に対して僕たちは何の責任も負っていないと、なんとか納得させようか？　しかし、どれだけ言葉を重ねたところで、鷹央が納得するとは思えなかった。

やはり、Xの正体を暴き、事件を解決するしかない。そのためには手がかりが必要だ。なにか新しい情報がないか、桜井に電話をしてみよう。

僕はポケットからスマートフォンを取り出す。画面の上部に小さく、ニュースアプリからの号外の告知が表示されていた。僕はなんとなしに、その告知をクリックする。液晶画面に表示されたニュースを見た瞬間、僕はその場に立ち尽くした。

「鷹央先生！」

玄関扉を勢いよく開け、僕は室内に飛び込む。しかし、よほど深く眠っているのか、ソファーに横たわる鷹央は微動だにしなかった。

「鷹央先生、大変です。起きてください」

僕は毛布から出ている鷹央の華奢（きゃしゃ）な肩を揺する。眉を八の字にしてうめき声をあげつつ、鷹央は瞼（まぶた）を上げた。

「なん……だよ。いま……何時だ」顔をしかめた鷹央は弱々しくつぶやく。

「先生が寝てから十分ぐらいしか経っていません」

「じゃあ……、なんで起こすんだよ……。お前が寝ろって言ったから寝たのに……」

頭痛でもしたのか、鷹央はこめかみを押さえた。

僕もできればゆっくり休んでほしかった。けれど、それどころではなくなったのだ。

「犯行声明です！」僕は声を張り上げる。「鷹央先生が予想した通り、報道機関に犯人からの犯行声明が届いたんですよ」

つらそうに細められていた鷹央の目が大きく見開かれた。

「本当か⁉」鷹央は毛布を弾き飛ばしながら勢いよく体を起こす。

「本当です。いま夕方のニュース番組で取り上げられています」

僕はスマートフォンを取り出すと、テレビのニュース番組を映す。鷹央は僕の手からスマートフォンを奪い取り、齧りつくようにその画面を凝視した。

『お伝えしているように、本日、当番組宛に「真夜中の絞殺魔」を名乗る人物から封筒が届きました。中には犯行声明と思われる文書と、被害者のものだという毛髪が数本入っていました。当番組では慎重に情報を集めた結果、これが本物の犯人から送られてきた可能性が高いと判断し、番組内で取り上げることとしました』

女性ニュースキャスターが、緊張の滲む口調で言う。次の瞬間、送られてきた犯行声明と思われる画像が、画面に映し出された。
緊張を煽(あお)るための演出なのか、一枚の紙をカメラが上部から舐(な)めるように映し出していく。僕は鷹央の肩越しに、画面にゆっくりと現れていく文字の羅列を凝視した。

私ハ 二十三区内連続女性絞殺事件ト呼称サレル
一連ノ事件ノ犯人デアル
私ハ 先週 板橋デノ犯行ノ際 現場ニ メッセージヲ残シタ
シカシ 警察ハ卑怯ニモ ソレ 握リツブシ 発表シナカッタ
ヨッテ 私ハコウシテ 各報道機関ニ直接 声明ヲ送ルコトニシタ
愚鈍ナ 警察ハ 決シテ私ヲ 逮捕デキナイ
ナゼナラ 私ハスデニ 死ンデイルカラ
私ハ モハヤ コノ世ニイナイハズノ人間ダカラ
私ハ死スラ超越シタ 生マレナガラノ怪物 生マレナガラノ殺人者ダ
誰モ 私ヲ 捕ラエルコトナド デキナイ
人々ヨ 怯エテ眠レ 怪物ニ襲ワレヌヨウ

本物だ。これは間違いなく犯人が送ったものだ。僕は確信する。

定規で書かれたような角張った文字、前回の事件で犯行声明が残されていた事実を知っていること、そして何より、声明文の途中が前回のものとまるっきり同じだ。ようやく犯人が罠にかかった。これで、前回の犯行声明では読めなくなっていた署名が、Xが自らをなんと名乗っているのかが分かる。

僕は緊張してゆっくりとスクロールしていく画面を見つめる。もうすぐ、血液で書かれた署名が画面に映し出される。そう思っていた僕は「え？」と声を上げる。

用紙の最下部まで画面に映し出されたが、そこに署名はなかった。

映像が引いていき、犯行声明の書かれた用紙の全体像があらわになるが、やはりどこにも署名らしきものは見当たらない。

膝が崩れそうなほどの脱力感が襲いかかってくる。鷹央は犯人がなんと名乗っているのか知るために、前回の犯行声明を発表しないように桜井に頼んだ。そして予想した通り、『真夜中の絞殺魔』はマスコミに声明文を送り付けた。しかし、そこには最も知りたかった署名が記されていなかった。

『以上が当番組に送られたメッセージです。私たちは同時に、警察にこの声明文を……』

再び画面に映った女性キャスターが喋り出したところで、鷹央はテレビアプリを消す。部屋に沈黙が降りた。

「あ、あの、鷹央先生……。大丈夫ですか？」

僕は鷹央の背中に声をかける。返事の代わりに、その華奢な肩が細かく震えはじめた。

かけるべき慰めの言葉を必死に探す僕の鼓膜を、かすかな笑い声が揺らした。その笑い声は、次第にはっきりと聞こえてくる。

「ふふ……、ははは……、あははははは！」

突然、鷹央は腹を抱えて哄笑する。体を二つに折って大きな笑い声を上げる鷹央を、僕は呆然と見つめることしかできなかった。

あまりのショックに、とうとう精神が限界を迎えてしまったのか。

「た、鷹央先生……」

どうしていいのか分からず棒立ちになっていると、ようやく鷹央の笑いの発作がおさまった。次の瞬間、鷹央は勢いよく振り返る。その顔からはついさっきまでの弱々しさが消え去っていた。

「成功だ。罠にかかりやがった！」鷹央は万歳するように両手を上げる。

「え？　成功って……。署名は……」

「そうだ。署名はなかった。けれどあれは間違いなくXが送ったものだ。なにが『怯えて眠れ』だ。臭い文章を書きやがって。前回よりさらに自分に酔ってやがる」

そこで言葉を切った鷹央の口元が綻ぶ。

「それなのに、署名はなかった」

「そうですよ。署名がなかったんです。これじゃあ意味がないじゃないですか」

「なに言っているんだ。署名がないことに意味があるんだ。よく考えてみろ、ここまで自意識が肥大している犯人なら署名をしたかったはずだ。前回みたいに自分の血液でな。それが全国放送で流れれば、とんでもないインパクトだ。犯人はこのうえない快感を得られたはずだ」

「じゃあ、なんで署名をしなかったんですか？」

「しなかったんじゃない、できなかったんだ。暴走状態ではあるが、犯人はもともと犯行場所の下調べなどを徹底的に行う慎重なタイプだ。前回の犯行のあと冷静になって気づいたんだろう。署名が全国的に流れることの危険性を」

鷹央は左手の人差し指を顔の前で立てる。

「だからマスコミに送った声明文には署名がなかった。おそらく、前回の現場に残した声明文では雨で署名が消えていることにも気づいているんだろうな」

「けれど、それなら違う名を名乗ればいいだけじゃないですか？」

「ああ、普通ならそうするよな。けれど犯人はそれをしなかった。それはすなわち、犯人の中では自分の名が決まっていることを示している。その名は自分の本質であり、代えがたきものだと考えている証拠だ。つまり……」

鷹央は人差し指を立てた左手を振る。

「前回の犯行声明に血液で書かれていた署名、そこになんと書かれていたかさえ分かれば、犯人の正体を暴けるということだ」

「けれど、あんなにかすれた文字を解読できますか？」

「いままではどこから犯人に迫るべきか判断ができなかった。だから、ありとあらゆる角度から犯人の正体に近付けないかを検討する必要があり、署名の解読にそこまでの労力をさけなかったんだ。けれど、今回のことであの署名こそ犯人の、Ｘの急所だと分かった。なら、全力で解読に当たることができる」

鷹央は張りのある声で言う。その姿には、責任感に押しつぶされそうになっていた弱々しさはなく、普段の謎と格闘しているときのような生命力に溢れていた。

三日間寝ていないのは変わらないはずなのに、向かう方向が決まっただけでこれだけ活力を取り戻せるのか。やはりこの人にとって、謎を解くことは生き甲斐そのものなのだろう。

鷹央は手術着のポケットから自分のスマートフォンを取り出すと、画面に血の署名を拡大した映像を表示する。

「まず四文字であることは確実だ。そして、三文字目が長音であることと、カタカナで書かれていることも間違いないとみていいだろう。最初の文字だが、候補としては『ン』『メ』『ツ』『コ』……」

鷹央は画面を指さしながらまくし立てる。可能性のあるあらゆる文字の組み合わせを考え、意味のあるものを抽出し、さらにその中で犯人に繋がる可能性のある単語を導き出すつもりなのだろう。しかし、これだけ文字が滲んでいると、とてつもなく手間と時間がかかる気がする。それに……。

「それに、やっぱり『シメール』に見えちゃうんだよな」

僕が口の中で独り言を転がすと、気持ちよさそうに説明していた鷹央が言葉を止める。

「……なんか言ったか？」鷹央は僕を睨め上げる。

僕は慌てて両手で口を押さえた。

「いえ、べつになにも」

僕は胸の前でせわしなく両手を振った。鷹央は数秒、氷のように冷たい視線を僕に浴びせかけたあと、その場に四つん這いになり、ソファーの下に手を差し込む。

「あ、あの……、何を探しているんでしょう？」

腰を引きつつ訊ねるが、鷹央は無言のままソファーの下を漁っている。

これ、逃げた方がいいパターンじゃないかな。僕がそう思いはじめたとき、せわしなく動いていた鷹央の手が止まった。ゆっくりと引かれてくるその手に握られていたものを見て、僕は小さな悲鳴を漏らす。

それは黒い金属製の無骨な物体だった。長方形の機器の先端に、二つの電極が飛び出している。

「スタンガンじゃないですか！」

これまでの事件で、鷹央が護身用にスタンガンを持っていたことはあったが、そんなところに隠してあったのか。

鷹央は据わった目を僕に向けつつ、スタンガンのスイッチを押す。電極の間にスパークが走った。

「ちょっと、シャレになっていませんって」

「そうだな。首を絞めるから『シメール』だなんて、シャレとしても成立していない」

「いや、そういうことじゃなくて」

「警告しただろ、今度私の前でくだらないギャグを口にしたら、覚悟しておけって」

「いや、いくらなんでも、スタンガンくらう覚悟はできてませんって！」

逃げ出す隙をうかがいつつ、僕は叫ぶ。普段の鷹央なら、さすがに本気でスタンガンを打ち込んだりはしないだろう。しかし、今日は『三日間寝ていないで、気が立っている天久鷹央』だ。どんな行動に出るか、僕にも想像がつかなかった。

　鷹央は大きく舌を鳴らすと、スタンガンを持つ手を下ろす。

「また同じギャグ言ったら、本気で打ち込むからな」

「……了解です」僕は首をすくめる。

「まったく、ようやく方向性が決まって気分が良くなっていたっていうのに。なにがシメールだよ。シメールっていうのは……」

　文句を垂れていた鷹央の体が大きく震える。その手からスタンガンが滑り落ち、床で跳ねて火花を散らせた。

「大丈夫ですか？」

　一瞬、漏電でもしたのかと思ったが、鷹央が崩れ落ちることはなかった。その代わり、虚ろな目で空中をみつめてぶつぶつとつぶやきはじめる。

「シメール……、怪物……、双子……、生まれながらの殺人者……」

「鷹央……先生？」

　僕がおそるおそる声をかけると、鷹央はいきなり両手を伸ばして僕の襟を摑む。

「シメールだ！」

「だ、だから、もう二度とそのギャグは言いませんから！」

　怯えて身を縮こめると、鷹央は力を込めて襟を引きよせ、僕の目を覗き込む。

「違う、シメールで良かったんだ！　あの署名には本当に『シメール』と書かれていたんだ。お前が正解だったんだよ。お前のおかげでようやく分かった。くそ、すぐ近くにいたのになんで私は気づかなかったんだ。そうだ、桜井に連絡しないと」

僕の襟を離した鷹央は両手の拳を握りしめる。

「え？　分かったって、何が……？」

僕がおずおずと訊ねると、鷹央はにっと口角を上げた。

「もちろん『真夜中の絞殺魔』、つまりはXの正体だ！」

5

「あの……、本当に彼が犯人で間違いないんですか？」

桜井は落ち着かない様子で、何度もまばたきを繰り返す。

僕たちに呼び出された桜井は、五分ほど前にいつものように一人で鷹央の〝家〟にやってきた。ソファーに腰掛けた桜井が「それで、なにか進展があったんですか？」と訊ねると、鷹央は何の前触れもなく、「犯人が分かった。『真夜中の絞殺魔』は……」と犯人を指摘したのだった。

「なんだよ。犯人を知りたかったんじゃないのか？」

「いえ、それは知りたいですけど……」

桜井が助けを求めるように視線を送ってくる。しかし、僕は口を半開きにしたまま動けなかった。それほどまでに、鷹央が犯人と指摘したのは、思いがけない人物だった。

「えっとですね、天久先生、詳しく説明していただきたいんですが、彼が犯人だとするとXはどうなるんですか？」

僕が頼りにならないと判断したのか、桜井は鷹央に視線を戻す。

「そうですよ。あの男が犯人だとしたら、Xはどうかかわってくるんですか？」

ようやく我に返った僕も、桜井に加勢する。

「だからXはあの男の……、ああ、面倒くさい」鷹央は苛立たしげに手を振った。

「いまは悠長に説明している時間なんかない。一刻も早く動く必要があるんだ」

「時間がない？　なにかご予定でも？」

「なに言っているんだ。今夜にでも、あの男が人を殺すかもしれないんだぞ」

桜井の表情がこわばる。

「もう前回の犯行から一週間以上経っている。新たな犯行現場を探すのに十分な時間だ。マスコミに犯行声明を出すことで、自尊心は満たされたかも知れないが、殺人衝動は胸の奥で暴れ狂っている。暴走状態のあの男にとって、殺人は食欲や睡眠欲と同等の根源的な欲求にまで昇華しているはずだ。いまの奴は飢えた獣と一緒だ。いつ獲物を襲ってもおかしくない」

「そ、それなら、あの男に監視をつければ……」桜井の声はかすれていた。

「完璧な監視体制をとれるほどの人員を割くことができるのか？　そもそも、私の話に捜査本部を仕切っている管理官は耳を傾けるのか」

「……現在、捜査方針が大きく変化したため、人員が足りず、近隣各署に捜査員の追加を要請している状態です。人員を大きく割くのは難しいと思われます。ただ、連続絞殺魔が彼であるという確実な証拠を提示することができれば、管理官も人員を……」

「確実な証拠はない」

桜井のセリフを鷹央が遮る。桜井は「ないんですか……」と肩を落とした。

「ああ、残念ながらいまの時点ではな。ただ、あいつが犯人だとしたら、すべてに説明がつく。訳の分からないことだらけだったこの事件の全てにな。どう考えてもあいつが犯人で間違いないんだよ」

「もしかして、私たちだけで監視をするつもりですか？」桜井が声を潜める。

「相手はかなり慎重な男だ。お前はともかく、素人の私や小鳥では気づかれる可能性が高いし、最悪の場合、見失ってまた犠牲者を出してしまうかもしれない」

「じゃあ、どうするんですか？」

　僕が訊ねると、鷹央は唇に危険な笑みを湛えた。

「罠を張るんだよ。あいつがいつ、どこで、誰を狙うか分からないからこそ、犯行を止めるのが難しいんだ。だったら餌を撒いて、狙う人物と時間をこっちが決めればいい」

「餌って、まさか鷹央先生がやるつもりじゃないでしょうね？　『お前が犯人だ』って指摘して、自分を狙わせるつもりじゃ？」

「なに言っているんだ。そんなことをしたら、私を狙うどころか、あいつは姿を消すに決まっているだろ。私に事実を知られた時点で、警察にも情報が伝わっていると考えるのが普通だ。そんな見え見えの罠に嵌まるような男じゃない」

「では、誰を餌に使うつもりですか？　確実におびき寄せられる人がいるんですか？」

　桜井が首を捻ると、鷹央は顔の前で左手の人差し指を立てた。

「ああ、いるんだよ。一人だけな」

6

大田区蒲田にある住宅街のはずれ、二階建ての小さな一軒家から、帽子をかぶった小柄な女性が出てくる。シャツの上に薄手のカーディガンを羽織り、首元にはストールが巻かれていた。

スーツ姿の僕は少し離れた路上に停めたレンタカーのフィットの中から、彼女が出てきた家を眺める。そここそ、鷹央が『犯人を確実におびき寄せられる』と言っていた女性の住む家だった。

桜井にその女性の住所を調べさせた鷹央は、昨夜遅くこの家を訪れ、彼女の説得に当たった。あまり大人数で押しかけると相手に警戒されるかもしれないと、家に行ったのは鷹央と桜井の二人だけだった。

駐車場に停めたRX－8の中で待っていた僕には、具体的にどのような説得が行なわれたのか分からないが、三時間以上たって家から出てきた鷹央たちは、囮（おとり）となる女性の説得に成功していた。そして今夜、作戦が実行されることになった。

昨夜、鷹央を屋上の〝家〟まで送り届けた僕は、事件の真相を、なぜ『彼』が犯人などということがあり得るのかを詳しく訊こうとした。しかし、〝家〟に入った鷹央は「明日、レンタカーを借りておけ、お前の車は目立つからな。作戦の詳細は桜井に任せてある」と言うやいなやソファーに倒れこむと、小さな寝息を立てはじめた。三日間、ほとんど寝ていない鷹央を起こすわけにもいかず、僕はその小さな体に毛布を掛けて〝家〟をあとにしたのだった。

そして今日、鷹央が目を覚ましたのは昼過ぎだった。そのあと、話を聞く間もなく桜井がやって来て、夜に決行される作戦についての詳細な打ち合わせがはじまった。結局、事件の真相を詳しく聞く時間が取れないまま、こうして作戦が開始されてしまった。

僕は腕時計を見る。時刻は午後十一時を少し回ったところだった。

『どうだ？　周囲に怪しい男は見えないか？　私からは見えない』

耳に嵌めたイヤホンから、鷹央の声が聞こえてくる。僕はスーツの襟元に仕込んだマイクに口を近づけ「見当たりません」と小声で報告する。

『私も見えません』『俺もです』

桜井の緊張感のある声と、田無署の刑事である成瀬の不機嫌そうな声が聞こえてくる。今回の作戦は捜査本部には内密に行っているので、大々的な応援を要請することができない。さらに、少人数でないと犯人に気づかれる可能性があると鷹央が主張したため、普段から何かと付き合いのある成瀬を含んだ計四人で実行に移すこととなった。

昨夜、帰りの車の中で鷹央が電話をして協力を要請した際には、成瀬は「そんな怪しい話にかかわりたくありません」と最初は断った。しかし、電話を代わった桜井に「『真夜中の絞殺魔』を逮捕するためだよ」「僕の顔を立てると思ってさ」と説得され、さらに鷹央に「いままで、私のおかげでどれだけ手柄を上げられたと思っているんだ」と責められて、渋々と協力を承諾していた。

カーディガンに包まれた小さな背中が離れていく。僕は助手席に置いたクラッチバッグを小脇に抱えると、フィットから降りる。この格好なら、どこから見ても帰宅中のサラリーマンに見えるはずだ。知り合いが見ても、すぐには僕とは気づかれないだろう。

僕は履きなれない革靴に違和感をおぼえつつ、かなり距離を取って囮を追う。彼女は細い路地に入っていった。

囮を引き受けてくれた女性の話では、『彼』から深夜零時にここから歩いて十分ほどの所にある、大型スーパーの駐車場で話がしたいと連絡があったらしい。つまり『彼』が罠にかかったということだ。「あとは、餌に食らいついたところを捕獲するだけだ」と、彼女からの報告を聞いた鷹央は言った。

しかし、どうやっておびき寄せたんだろう？　僕は足音を立てないように歩きながら首を捻る。鷹央の指示で女性が『彼』にメールを送ったという話だったが、その内容までは訊く余裕がなかった。

そもそも、『彼』は本当に『真夜中の絞殺魔』なのだろうか？　普通に考えたら、そんなわけないはずだ。だって……。

そこまで考えたとき、『怪しい男を発見。囮の背後、三十メートル』という桜井の声が聞こえてきた。

僕ははっとして顔を上げる。反対側の道からやってきた野球帽を目深（まぶか）にかぶった男が、囮が入っていった路地へと吸い込まれていくところだった。

「こちらも確認しました。このまま追跡します」

スーパーまでのルートには三ヶ所、工事現場や夜は稼働（かどう）していない工場がある。犯人はおそらくそのどこかで襲うつもりだと、僕たちは考えていた。桜井は一番近くの、成瀬は二番目の現場で待機している。

小走りに進んだ僕は、囮と男が消えていった路地を覗き込む。人気（ひとけ）の少ない暗い路地、二百メートルほど先に桜井が潜んでいる工事現場が見えた。

男は囮の後ろ二十メートルほどのところを、ズボンのポケットに両手を突っ込みながら歩いていた。二人の距離は少しずつだが、確実に縮まっている。

あの工事現場に引き込んで襲うつもりか。

『小鳥遊先生、見えていますか？』緊張に満ちた桜井の声が聞こえてくる。

「はい、見えています」

『そのまま隠れていてください。もし男がこの工事現場に囮を引きずり込んだら、すぐに応援に駆けつけてください』

「了解です」

僕は小声で答えると、乾いた口腔(こうくう)内を舐める。冷たい汗が背中を伝わった。

囮が工事現場の入り口に近づく。それとともに、男が彼女の横に並んだ。男はちらりと横目で彼女を見る。男の手がポケットから出た。

やる気か？　飛び出しかけると、男がポケットから出したスマートフォンで会話をはじめた。電話をしたまま、男は囮の横を通り過ぎていく。

「犯人ではなかったみたいです。囮、工事現場の前を無事に通り過ぎました」

僕は胸に手を当てながら、マイクに話しかける。

『了解。それでは私は裏手から出て、三番目の現場に向かいます』

桜井の報告を聞いた僕は、路地を早足で進んでいく。囮はここから二百メートルほどで大通りを右に折れる予定だ。その先に、成瀬がいる工場がある。それまで、彼女の状態を確認できるのは僕だけだ。

僕が気合を入れなおした瞬間、細い路地から影が飛び出してきた。影は素早く彼女に襲い掛かり、その小さな体軀(たいく)を小脇に抱えるように捕獲すると、その勢いのままに反対側の路地へと飛び込んでいった。

あまりにも突然の出来事に、思考が真っ白になる。しかし、頭より先に体が動き出していた。クラッチバッグを放り捨て、上半身を前傾させると、僕はアスファルトを蹴った。

「待てっ！」辺りに僕の怒声が響き渡った。

『小鳥遊先生、どうしたんですか？』イヤホンから桜井の声が聞こえてくる。

「最初の工事現場から二十メートルぐらいで囮を襲われました。向かって右手の路地に連れ込まれたんです！」

マイクに向かって叫んだ僕は、影が彼女を連れ込んだ路地へと飛び込む。両側をブロック塀に囲まれた細い通り、左右に古い民家が並んでいる。これまでの絞殺事件の現場になったような工事現場や廃墟などは見当たらなかった。

どこだ？　どこに行ったんだ？　僕はせわしなく辺りを見回す。

もし見つからなかったら？　最悪の事態が脳裏をよぎり、恐怖に足がすくんだ。

『青……屋根……リフォーム……』

イヤホンからかすかに苦しげな声が聞こえてくる。僕は目を見開くと、視線を上げた。

左手の三軒先に建つ家の屋根が、街灯の淡い光の中、青く浮き上がっていた。よく見ると、家の外側には足場が組まれている。リフォーム中で、住人がいないのだろう。

あの家だ！　再び走り出した僕は、青い屋根の家の敷地内に入ると、開いていた玄関に飛び込んだ。

大規模なリフォームをしているらしく、柱だけ残して壁はほとんど取り払われており、内部には広く、暗い空間が広がっていた。その中央に、かすかに二人のシルエットが見える。

ひざまずいている小さな人影の背中に、大きな人影が足を置いている。暗さに慣れてきた僕の目は二人の間に伸びている細い影を捕らえた。それが何なのか気づいた瞬間、胸の奥で心臓が大きく跳ねる。それはロープだった。囮の首に巻き付いたロープを、男が両手で思い切り引きつけているのだ。

「やめろ！」僕は叫びながら走り出す。

体を震わせ、こちらに顔を向けつつも、男がロープを離すことはなかった。その姿には、人を絞め殺すことへの強い執着が見て取れた。

男に向かって一直線に走った僕は、その脇腹に前蹴りをたたき込んだ。革靴越しに内臓がひしゃげる感触が伝わってくる。

加速した全体重を乗せた蹴りをまともに受けた男は、三メートルほど飛ばされて床に転がると、苦痛の声を漏らす。近くで見ると、男は大きなマスクをつけていた。この暗さと相まって、ほとんど人相は分からない。しかし、相手が誰であろうとかまわなかった。彼女を殺そうとしたのだから。

僕はよろよろと立ち上がった男に大股に近づくと、その顔面に拳を打ち込む。拳頭に痺(しび)れるような衝撃が走り、男は再び床に倒れた。僕は男に馬乗りになると、脳が沸(ふっ)騰(とう)するような怒りのままに、さらに拳を打ち込もうとする。そのとき、背後から苦しげに咳(せ)き込む音が響いた。

　振り返ると、彼女がストールの上から喉元に巻き付いたロープを外していた。

「大丈夫ですか⁉」僕は不安で震える声で訊ねる。

　彼女は無言のまま、左手の親指を立てた。安堵(あんど)が怒りを洗いながしていく。そのとき、かすれ声で彼女が「危ない！」と叫んだ。僕は慌てて正面に向き直る。いつの間にか男の手に、小さなナイフが握られていた。

　男は無造作にナイフを振る。窓からわずかに差し込んでくる街灯の光が煌(きら)めいた。僕は背後に倒れ込み、紙一重でナイフを躱(かわ)す。

　なんとかよけられた。しかし、体勢が不利になってしまった。

　仰向けに倒れた僕は、男が襲ってきても蹴り上げられるように身構える。しかし、男は身を翻すと、玄関に向かって走り出した。

　蹴りのダメージのせいで、その足取りはふらついている。十分に追いつくはずだ。立ち上がった瞬間、また苦しげな咳が聞こえてきた。思わず動きを止め、彼女に視線を向けてしまう。

　彼女は「早く追え」というように、逃げる男の背中を指さした。頷いて再び走り出そうとすると、男の動きが止まった。見ると、玄関に誰かが立ちはだかっていた。逆光でその顔はよく見えない。

自分よりも小柄な玄関の人影に向かい、男はナイフをちらつかせながら「どけ！」と叫ぶ。しかし、玄関の人物は動かなかった。男は舌を鳴らすと、切っ先を玄関の人影に向けて走り出す。

次の瞬間、男の体がふわりと浮き上がり、そして重い音が響いた。突き出したナイフをよけられ、その勢いを利用されて一本背負い投げを食らったのだろう。あまりにも鮮やかな投げに、僕は呆然と立ち尽くす。

「いやあ、久しぶりに投げたんで、腰にきちゃいましたよ」

男を投げた人物、桜井はこの場に似合わない緊張感のないセリフを吐いた。男の手から零れたナイフを遠くに蹴り飛ばした桜井は、仰向けのままうめき声を上げる男を慣れた手つきで腹這いにすると、その両手に懐から取り出した手錠をはめる。

「さて、仕上げだな」

ストールの上から喉を押さえていた彼女が、僕の背中をぽんと叩いて、男に近づいていく。

「年貢の納めどきだな」

彼女はストールを少し下げ、かけていた伊達眼鏡を外した。男は目を剝く。

「そう、私はお前が狙っていた女じゃない。さすがに囮なんていう危険なことまで、あの女にやらせるわけにはいかなかったからな」

囮役を務めた彼女、天久鷹央は得意げに薄い胸を張った。

「お前が狙っていた女は、ちゃんと護衛を付けたうえで、息子と一緒に家にいる。私は早い段階で家に潜んで、あの女の服を借りて変装したんだ。私とあの女の体格があまり変わらないのが幸いだったな。それにこの暗さだ、ストールと眼鏡で顔をうまく隠せば、お前に家から出てきた私をあの女だと思い込ませることができるってわけだ」

鷹央はにっと口角を上げる。

「けれど、これまでの事件のときぐらいお前が慎重だったら、おそらく変装を見破っていただろうな。よほど、昨日受けた連絡に動揺していたのか？　それとも本当に殺したかった女を手にかけられる悦(よろこ)びで周りが見えなくなっていたのかな」

「あ、あの鷹央先生、この男は本当に……」

鷹央が含み笑いを漏らすと、男の眉間に深いしわが刻まれた。

僕はつばを飲み込む。マスクと暗さのせいで、男が本当に鷹央が予想した人物なのか、はっきりとは分からなかった。

「ああ、間違いなくあの男だよ」

鷹央がうなずくと、マスクの下から男の声が響いた。

「なんでお前は生きているんだ⁉　俺が思い切り首を絞めたのに。死んでいるはずなのに⁉」

「ん？　私が無事な理由か？　念には念を入れておいたんだよ」

鷹央は無造作に男のマスクを剝ぎ取ると、返す刀で自分の首に巻かれているストールを外した。あらわになった男の口からうめき声が漏れる。

鷹央の首には鉄製の太い首輪が巻かれていた。先日、僕が救急部から処分するために持ち帰った首輪。

「部下の変わった性癖も、ときには役に立つものなんだよ」

鷹央は殺意の籠もった目で睨みつけてくる男、辻章介に見せつけるように、首輪をコツコツと叩いた。

桜井が辻に向かい、殺人未遂および公務執行妨害の現行犯で逮捕することを告げ、権利の宣告を行っているところで、成瀬が玄関から飛び込んできた。

「逮捕しましたか？」

息を切らせながら声を張り上げた成瀬は、後ろ手に手錠を嵌められて座り込んでいる辻に視線を向ける。

「その男が『真夜中の絞殺魔』なんですか？」

「ああ、そうだ。四年前と今年、合計七人もの女を絞め殺した怪物だよ」

鷹央が「怪物」という言葉を口にした瞬間、魂が抜けたように呆けた表情を晒していた辻の顔が、わずかにこわばった。

「分かったらさっさと応援を呼んで、その男を捜査本部のある綾瀬署まで連行しろ。私は帰って寝る。首を絞められるのはこの首輪で防げたけど、タックルをくらったり、背中を踏まれたりで体が痛いんだ」

鷹央は顔をしかめながら、嵌めていた首輪を外す。

待ってくれ。襲ってきた辻を逮捕することはできたが、僕には何が起こっているのかさっぱり分からない。

なんでこの男が犯人なんだ？　絞殺魔は辻の兄弟であるXではなかったのか？　僕は口を開きかけるが、その前に桜井が声をあげた。

「いやいや、天久先生、さすがにそれは困ります。たしかに先生が前もって予想した通り、この男が先生を襲いました。けれど、この男は『真夜中の絞殺魔』ではありませんよ。犯行現場に残されたＤＮＡと、この男のＤＮＡは一致しませんでした。犯人はこの男の双子の兄弟のはずです」

桜井は僕が疑問に思っていたことを早口で言う。

「なんだ？　まだ分かっていないのか？」

鷹央は心から不思議そうに瞬きをする。

「全然分かりませんよ、そもそも……」桜井は辻を見下ろす。「この男はなんで、こんなに簡単に罠にかかったんですか？　なんで元奥さんを殺そうとしたんですか？　元奥さんはあなたに指示されて、この男になんてメールをしたんですか？」

鷹央が『囮』として協力を要請した女性、それは辻と四年前に離婚した前妻だった。

「細かいことはどうでもいいだろ。現行犯逮捕できたんだから連れて行けよ」

説明することが面倒なのか、鷹央は虫でも追い払うように手を振る。

「そういうわけにはいきません。先生への殺人未遂と公務執行妨害では逮捕できましたが、この男が『真夜中の絞殺魔』だっていうなら、その根拠を教えていただかないと。それを私が管理官に説明してはじめて、この男は連続絞殺事件の犯人として逮捕できます。それまで、捜査本部はXを追い続けることになります」

桜井のセリフを聞いた鷹央は、唇の片端を上げる。

「X……。Xねぇ。そう、私もずっとそのXを追っていた。辻章介の双子の兄弟として生まれたはずなのに、なんの記録も残っていない男。しかし、連続絞殺事件の現場にDNAを残していく男」

「そのXはどこにいるんです？　辻とXは共犯だったっていうことですか？」

僕が訊ねると、鷹央は皮肉っぽい笑みを浮かべた。

「共犯？　そうだな、ある意味これは、究極の共犯関係といえるかもしれないな」

「共犯者がいるんですか⁉　その男も逮捕しないと！」桜井が甲高い声を上げる。

「落ち着けよ。そんな必要はない。その共犯者もすでに逮捕されている」

すでに逮捕？　この事件の関係者で、辻と同年代であり、さらに逮捕されている男……。僕の脳裏に一人の男の顔がよぎる。

「火野ですか⁉　教団を復活させるために春日広大の遺体を処分したあの男、火野寛太がXなんですか？」

春日正子が『癒しの御印』に入信したのは、非合法に養子に出した息子との接点を持つためだった。一度は出家して教団施設に移り住んだのも、春日広大の遺体を焼かせて教団を復興するように指示を出したのも、全て火野寛太のためだった。そう考えれば辻褄が合う。

桜井も僕と同じことを考えたのか、「おおっ」と声を上げた。しかし、鷹央の反応は鈍かった。

「火野……？　お前、なに言っているんだ？　あんな雑魚、なんの関係もないぞ」

冷たい視線を浴び、興奮が塩をかけられたナメクジのように萎んでいく。

「まったく、わけの分からないこと言い出しやがって。犯行声明文に書いてあっただろ。『私はすでに死んでいる』『もはやこの世にいないはずの人間』『生まれながらの怪物』。それらの言葉がヒントだったんだ」

「あの……」桜井がおずおずと言う。「すでに死んでいて、この世にいない人間が殺人事件を起こすとなると、普通に考えたら生き返った人間ということになりませんか？　私たちはあの犯行声明は、死んだ春日広大が復活して殺人を犯しているようなイメージを持たせて、捜査を攪乱させるためのものだと考えていたのですが……」

「違う。この犯行声明はまったく違う意味だったんだ。私たちは完全に見る角度を間違っていたんだ。この声明の中で最も重要なのは『生まれながらの怪物』という部分だ」

鷹央はやや興奮気味に言うと、まだ床に横たわっている辻に「そうだよな」と水を向ける。しかし、辻は鷹央の言葉が聞こえていないかのように反応しなかった。

鼻を鳴らした鷹央は、「しかたがない、説明してやるか」と辻を指さす。

「今回の事件の肝は、この男の双子の兄弟であるXがいったい誰なのか、どこにいるのかに尽きる。まったく記録がなく、警察が膨大な人員と時間を割いても見つからないにもかかわらず、犯行現場にDNAだけ残していく男」

そこで言葉を切った鷹央は、僕たちを見回す。

「なあ、違和感を覚えなかったか。なんで、防犯カメラにもまったく映らず、遺留品もほとんど残さないほど慎重な犯人が、ＤＮＡだけはこんなに残していくのか」

たしかに違和感はあった。けれど、それが何を意味しているのかは分からなかった。

「犬がマーキングするかのように、犯人が大量のＤＮＡを残していくようになったのは、今年の事件からだ。四年前の三件の絞殺事件では、そのうちの一件で微量なＤＮＡが検出されているに過ぎない。つまり、犯行が止まっていた四年間で、犯人のＤＮＡに関する考え方が大きく変わったんだ。ＤＮＡから自分を特定することはできないとな」

「いや、それはおかしいんじゃないですか」

思考がまとまらないのか、桜井はこめかみを押さえながら口を挟む。

「だって、ＤＮＡが残っていたからこそ、犯人はこの辻の兄弟だって分かったんですよ。犯人の身元に近づけたじゃないですか」

「近づけただけで、犯人特定には至らなかっただろ。春日広大の一卵性双生児が犯人だとか、春日広大が実は生きているんじゃないかとか、迷走しまくっただろ。そういえば、私が診断を間違えていて、春日広大が生き返ったとかいうわけの分からないことを言って絡んできた馬鹿もいたな」

鷹央は桜井を睨む。相変わらず根に持つタイプだな、この人は。

「その際のことは本当に申し訳ないと思っています。謝罪しますんで、いまはとりあえず話を先に進めていただけませんでしょうか」

鷹央は鼻を鳴らして再び話しはじめる。

「なぜ、ＤＮＡを晒そうとするのか。なぜ、まったく記録に残っていないのか。なぜ、まるで警察や私たちの動きを先回りするように動けるのか。なぜ、存在しないかのように正体を見せることなく犯行を重ねられるのか。私にはＸの正体がどうしてもつかめなかった。それは警察も同じだろ」

「はい」桜井は硬い表情で頷く。

「その状況に気を良くし、自我を肥大させていった結果があの犯行声明だ。私はその文面以上に、かすれて読めなくなった署名、血液で書かれた署名にこそ、犯人を特定する手がかりがあると考えた。マスコミに送られた声明文では、署名がなかったことから、そのことを確信した」

「なんと署名されていたか分かったんですか？」

「『シメール』だ」

「それって、小鳥遊先生が口走ったくだらない冗談じゃ……」

「たしかに、本当にくだらないギャグだ。けれど、それが正解だったんだよ」

鷹央はいまだに口を開かない辻を見下ろす。

「シメール、それこそがお前が自分自身に付けた名前だったんだろ。まさにお前の状態を的確に表す怪物の名前だ。絶妙なネーミングだったよ」

「怪物?」

僕が聞き返すと、鷹央は左手の人差し指を立てる。

「そう、ギリシャ神話に登場する怪物の名前だ。ライオンの頭、山羊（やぎ）の胴体、蛇の尻尾を持ち、炎を吐く怪物」

「え、その怪物って……」

それはギリシャ神話の知識などない僕ですら知っている怪物だった。

「そう、フランス語ではシメール、そして英語では……キマイラ、またはキメラなどと呼ばれる怪物だ」

「キメラ……」僕は呆然とその単語をつぶやいた。

キメラ、DNA、双生児……。頭の中で、事件の真相が一気に明らかになっていく。

「その昔話の怪物が、この事件となにか関係があるんですか?」

黙って話を聞いていた成瀬が苛立たしげに言う。その横で、同調するように桜井もあごを引いた。鷹央はこれ見よがしに肩をすくめる。

「なんだ、ここまで言っても分からないのか。学のない奴らだな。様々な動物の要素を併せ持つその怪物の名にちなんで、生物学的には、とある状態にある個体のことを『キメラ』と呼んでいる。小鳥、それくらい知っているだろ。教えてやれ」

鷹央に促された僕は、呆然としたままゆっくりと口を開く。

「……同一の個体内に、異なったＤＮＡを持つ細胞が二種類以上ある状態のことです」

鷹央はにっと口角を上げた。

「その通りだ」

「ちょっと待ってください。同一の個体内に異なったＤＮＡって、そんなことあり得るんですか？」桜井の声が大きくなる。

「もちろんだ。人間ではこれまで数十例が発見されている。まあ、実際にはもっと頻繁に起こっているだろうがな」

鷹央は滔々と説明を続ける。

「二卵性双生児の場合、妊娠初期ごくまれに二つの受精卵の細胞が混ざり合い、融合してしまうことがある。融合した細胞はそれぞれのＤＮＡを持ったまま一人の胎児として成長し続け、その結果、二人分のＤＮＡを持つ人間が生まれてくるんだ」

「それじゃあ、Ｘは……」

桜井が口を半開きにしながら辻を見下ろすと、鷹央は人差し指を立てた左手を大きく振った。

「そう、私たちが追っていたＸは一人の人間としては生まれていない。ずっとこの男の中にいたんだよ」

　明かされた衝撃的な事実に、僕、桜井、成瀬が絶句している中、鷹央が沈黙を破った。

「なあ、警察のDNA鑑定では、どうやって組織採取をするんだ？」

「え？　あ、ああ、組織採取ですか。綿棒で口の中をこすって……」

　桜井が慌てて答える。

「つまり、口腔内の細胞を採取するんだな。おそらくだが、この辻は、頭部とその他の部分でDNAが異なっているんだろう。警察は口腔内細胞のDNAを『辻章介のDNA』として登録した。だからこそ、辻が犯行現場や春日家の離れに残した、腕の皮膚や血液、精液などのDNAを、『辻の兄弟のDNA』だと判断したんだ。もともと二つのDNAは、二卵性双生児の兄弟が各々持つはずのものだったからな」

　鷹央はいまだに黙り込んだままの辻の顔を覗き込む。

「きっと犯行前、丹念に調べたんだろうな。体のどの部位がどちらのDNAを持っているか。最近は、金を払えばDNA判定をしてくれる会社がたくさんあるからな。そしてお前は、四年前の犯行で警察に採取された腕の皮膚のDNAと、口腔内のDNAが異なっていることを確認した。つまり、DNA鑑定をされたところで自分が四年前の事件の犯人だとは気づかれないとな」

「待ってください。それ以前に、なんでこの男は自分が……キメラでしたっけ。その状態で、二つのDNAを持っていると知ったんですか？」

桜井はこめかみを押さえる。

「それには、この男が生まれたときから説明する必要がある」

疲れてきたのか首筋を掻きはじめた鷹央は、桜井が「ぜひお願いします！」と頭を下げたのを見て、面倒くさそうに説明をはじめる。

「まず、二十八年前、春日正子は妊娠し、中本産婦人科病院で超音波検査を受けて二卵性双生児だと診断された。おそらく受精卵を包む袋である胎嚢（たいのう）が二つ確認できたんだろう。喜んだ正子はそれを近所にも触れ回ったが、その後、二つの受精卵の細胞は融合し、一人の胎児となった。それがこの辻章介だ」

鷹央は辻に一瞥（いちべつ）をくれる。

「二つの受精卵が着床した場合、一割前後の確率で妊娠初期に片方の受精卵が消えてしまうことがある。バニシングツインと呼ばれる現象だ。それが起こったんだと、中本は正子に説明したはずだ。まさか、二つの受精卵が融合したとは思わないだろうからな。そこで一つの問題が起こった。……父親だ」

鷹央が父親の名前を出した瞬間、辻の顔が歪んだ。

「父親は春日広大に対しI型糖尿病を理由に虐待をするような男だった。かなり気性が荒く、また思い込みも激しかったんだろう。そして、バニシングツインが起こったと聞いた父親はこう思った。双生児の一方が消えたのは、もう一方の胎児が栄養を吸い取って殺してしまったからだろうと。巷(ちまた)にはそんな、なんの根拠もない話がゴロゴロ転がっているから、それを信じたんだろうな」

「実際は違うんですか?」

「違うな。バニシングツインの主な原因は、一方の受精卵が致命的な遺伝子異常などのため成長できないで流産し、子宮内に吸収されるためと言われている。双生児じゃない妊娠でも、流産は同じぐらいの確率で起こる。残った方の胎児は関係ない。きっと中本もそう伝えただろう。けれど、父親はその説明に納得せず、辻が双子の兄弟を生まれる前に殺したんだと思い込み続けた」

　生まれる前に殺す。それって……。

「生まれながらの殺人者……」僕は無意識に、その言葉を口にする。

「そう、あの声明文に書かれていた『生まれながらの殺人者』というのは、そこから来ているんだ。おそらく幼少のときから父親に何度も言われてきたんだろう。『お前は人殺しだ』『生まれる前に兄弟を殺した怪物だ』ってな」

「え? それじゃあ、近所の人が聞いた、『人殺し』とか『怪物』と父親がなじる声っていうのは……」

桜井の口が半開きになる。

「そう、春日広大ではなく、辻に対する罵声だったんだ。父親は長男だけでなく、次男である辻にも虐待を加えていたんだ。シリアルキラーの多くは幼少期に虐待を受けている。日々、酒に酔った父親から殴られ、『怪物』と罵声を浴びせられるうちに、辻の心の中に本物の『怪物』が生まれていったんだよ」

「……だから、女性を絞殺しはじめたんですか？」桜井は声を潜める。

「いや、それだけじゃない。シリアルキラーが犯行をはじめる際には、なにかのきっかけがあることが多い。猟奇的な犯行に走らせるほど強いストレスを受けるきっかけがな。虐待を受けることでこの男の中には『怪物』が生まれていたが、その怪物を制御できていた。十八歳で父がいる家を出て大学に行き、就職とともに結婚した。七年前には自分を虐待していた父親がこの世を去り、そして五年前には息子も授かった。本当ならそのまま『怪物』を解き放つことなく、幸せな一生を送れるはずだった。四年前にあんな余計なことをしなければな」

四年前というと……。僕ははっと顔を上げる。

「春日広大が死んだことですか？　それとも妻と離婚したこと？」

「いや、違う」鷹央は首を横に振る。「春日広大の死も離婚も原因ではなく結果だ」

「結果？」

「ああ、そうだ。原因はこの男がふと疑ってしまったことにある。『一年前に生まれた長男は、本当に自分の息子なのか』ってな」

「え、それって……」

「そうだよ、妻の不貞を疑ったんだ。覚えているだろ、春日正子がこいつの前妻を『尻軽女』って呼んだのを。ここからは昨日、こいつの前妻から直接聞き出したから確実なことだ。この男は生まれた息子が、本当に自分の子供なのか疑ってしまった。父親から虐待を受けたせいで人を信じられなくなっていたのかもな。一度胸に芽生えた疑いは消すことができず、この男は確かめることにした。遺伝子検査による親子診断でな」

遺伝子検査による親子診断。その言葉を聞いた瞬間、何が起こったかに気づき、背中に震えが走る。

「遺伝子検査による親子診断はほとんど、綿棒で自分と子供の口の中をこすり、口腔内の細胞を採取して行う。普通ならそれで、親子かどうかほぼ確実に診断できる。けれど、この男がそれをやったら、どうなるかは分かるな」

鷹央に話を振られた僕は、ゆっくりと口を開いた。

「彼は口腔内と精巣で違うＤＮＡを持っています。そうなると、実の子だとしても、検査では他人の子供だと診断されます。もしその検査が精密なものだとしたら、おそらくは……『兄弟の子供だ』という結果が出るはずです」

「そうだ。いま小鳥が言った通りの結果が返ってきた。それを見たこの男は、こう思ったはずだ。妻が自分の兄弟と不倫をして妊娠したと。まさか自分が二種類の遺伝子情報を持っているなんて思わないからな。そして、この男に兄弟は一人しかいなかった」

「春日広大……」桜井がぼそりとその名をつぶやく。

「ああ、可愛がっていた長男が、妻と兄の不倫の末に生まれた子供だと思い込んでしまったんだ。絶望したこの男は、遺伝子検査の結果を妻に突きつけて離婚を迫った。兄のことは口に出さず、自分の子供ではないということだけ言ったらしいな。もちろん妻は不倫を必死に否定したが、遺伝子検査の結果という客観的な証拠を突きつけられ、応じなければ裁判にするとまで言われ、最終的には受け入れるしかなかったということだ。そうして、この男は一人になった。信頼していた家族二人に、同時に裏切られたと思い込んで。そのストレスは想像を絶するものだっただろう。その結果……」

「胸の中で眠っていた『怪物』が解き放たれた……」

僕はかすれ声で、鷹央の言葉を引き継いだ。

「そういうことだ。この男が本当に殺したかったのは前妻だろう。けれど、離婚したばかりの妻を殺せば自分が容疑者になる。だから、その身代わりとして前妻に似た、小柄で華奢な女を殺害し、その快感で怒りや絶望を誤魔化していたんだ。しかし、三度目の犯行で被害者に腕を引っ掻かれ、さらにそれを処理する間もなく現場に第三者が現れ、逃げ出した。そうやって警察にＤＮＡという証拠を握られた以上、犯行を重ねればいつかは逮捕される。この男はそう思って、無関係の女を絞殺することを諦めた。もちろん、元妻に手を出すことはできない。行き場を失った殺意を向けられるのは一人だけ、妻を寝取った男だ」

鷹央は肩をすくめると、「それは、この男の思い込みなんだがな」と付け足した。

「春日広大もこの男に殺されたって言うんですか⁉」桜井は甲高い声を上げる。

「ああ、はっきりとした証拠はないが、状況からみて間違いないだろう」

「けれど、天久先生。いったいどうやって春日広大を殺したって言うんですか？」

「前にも言っただろ、インスリンの過剰投与さ。春日広大はⅠ型糖尿病で毎日インスリンを打っていた。この男は隙をついて、兄にそのインスリンを大量に注射したんだ。普通の人間にそんなことをすれば、注射痕で気づかれる可能性が高い。だが、毎日注射をしていた春日広大の腹や太ももには無数の注射痕があった。そこに打てば誰かに気づかれる心配もなく、大量のインスリンを投与できる。インスリンは血糖値を低下させるホルモンだ。致死量のインスリンが投与されれば致命的な低血糖を招き、意識消失、痙攣、昏睡などの症状を経て、最後には死に至る」

「……それが、春日広大の身に起こったと？」

「まあ、もうなんの証拠もないけれどな。どうだ？　私の仮説は間違っているか？」

　鷹央は辻に話しかける。辻は鷹央を睨みつけるだけで、否定はしなかった。

「特に否定しないみたいだから、その仮説が正解だとして話を進めていこう。兄を殺したことで、この男の中の『怪物』はいったんは静まる。それ以降は人を殺すこともなく、再婚までしている。しかし、女を絞殺したときの快感を忘れることはできなかった。一度解き放たれた『怪物』は、再び獲物を狩るきっかけを窺っていたんだ。そしてとうとう、その『きっかけ』がおとずれてしまった」

「……なんですか、その『きっかけ』というのは？」桜井が低い声で訊ねる。

「去年、再婚相手との間に娘が生まれたことだ」

　そのあとなにが起こったか理解し、僕の喉から「ああっ……」と声が漏れる。

「そうだ。この男はまた親子鑑定をやったんだよ。そうしたら、驚くべき結果が返ってきた。また自分ではなく、兄弟の子供だとな。しかし、唯一の兄弟である春日広大は四年前に自分が殺している。混乱したこの男は色々と調べたんだろう。そしてついに気づいた。自分がキメラ、二つのＤＮＡを持っている特殊体質なんだとな」

「それは……間違いないんですか？」桜井の質問に鷹央はあごを引く。

「元妻に聞いたところ、今年の二月に離婚以来はじめてこの男から連絡があって『息子の養育費を払いたい』と言ってきたらしい。理由は明白だ。妻の不貞によって生まれたと思っていた子供が、自分の実の息子だと気づいたからだ。まったく、何人もの命を身勝手に奪う『怪物』のくせに、自分の子供には人並みの情があるんだな」

鷹央の揶揄に、辻は唇を強く噛んだ。

「なんにしろ、この男は自分が二つのＤＮＡを持っていること、頭部とその他の部分でＤＮＡが異なっていることを知った。すなわち、犯行現場に頭部以外のＤＮＡを残したところで、自分にはたどり着けないことをな。それに気づいたことで、この男のタガが外れた。ずっと胸の奥に押し込んでいた『怪物』がまた解き放たれたんだ。まずは営業先の会社で目をつけていたＯＬを絞殺し、四年間抑え込んでいた殺人衝動を解き放った。それでも警察はまったく自分にたどり着けない。そして、たとえ疑われたとしても、ＤＮＡを二つ持つ自分が犯人だとは気づかないはずだ。自信をつけた『怪物』は完全に暴走状態になり、次々と獲物を襲っていった」

こんなどこにでもいそうな男が……。僕は辻を見下ろす。顔を上げた辻と目が合った。その瞳の奥に底なし沼のような深淵を見た気がして、寒気をおぼえる。

「ただ、この男にも誤算はあった。予想以上に捜査範囲を広げた警察が、犯行再開後の最初の犠牲者であるOLと、ほんのわずかに接点があった自分にもDNAの提供を依頼してきたことだ。断れば怪しまれるので提供するしかない。しかしそれにより、自分の『兄弟』が犯人であると警察は気づくはずだ。そう考えたこの男は、先を読み、春日家の離れに忍び込んで自分の血液をつけた注射器や体の皮膚が付いた寝袋、あとは日用品などを残した。まるで、春日広大が生きていて、そこで生活していたようにな。そうすれば、警察の捜査を攪乱できる。けれど、警察はなかなか春日家を家宅捜索しなかった。やきもきしているときに、私たちがこの男に連絡を取ったんだ」

僕ははじめて辻に連絡をしたときのことを思い出す。

「桜井から私の噂を聞いていたこの男は、私を利用しようとした。私に詳しい話をし、そのうえで母親に話を聞きに行かせるように仕向けた。そうして私を春日家に連れて行き、離れの注射器などを発見させて警察に通報させればいい。そうすれば、自分で通報するよりずっと自然で、疑われるリスクが少ない。まあ結局、その日に家宅捜索が入ったんであまり意味がなかったけどな。ああ、そうだ。あのときのお前と母親の会話、いま考えると、あれは残酷なものだったたな」

「残酷?」僕は辻と正子の会話を思い出そうとする。

「本当に俺の兄弟は人殺しの怪物だったんだ……。母さんはそいつをずっと隠していたんだろ。そいつはいまどこにいるんだよ? この近くに隠れているんじゃないか?

そいつが逮捕されたら、俺の人生はめちゃくちゃだ。全部母さんのせいだ。母さんが俺の人生を壊したんだ！」

抑揚のない声で、鷹央はあのとき、辻が母親にぶつけた言葉を口にする。

「普通に聞くと、自分に兄弟がいないのか訊ね、いるなら教えるように言っているように聞こえる。しかし、全ての状況が分かったうえで聞くと、全く違う意味に聞こえる」

鷹央はすっと目を細めて辻を見る。

「あれは自分が連続殺人鬼であるという告白、そしてその責任は母親のお前にあるという非難だ。春日正子もなにが起こっているのか完全に理解できたわけではないだろう。しかし少なくとも、『俺の兄弟』が辻の双子の兄弟であること。『この近くに隠れているんじゃないか？』という言葉で、子宮内で消えたその兄弟が辻の一部になっていること。さらに、夫の虐待を自分が止められなかったせいで、辻が本物の『怪物』となったこと。それが世間に知られれば、息子だけでなく孫まで悲惨な目に遭うことを理解した」

鷹央は言葉を切ると唇を舐める。

「そしてこの男が最後に警察に告げた『母は気が弱いですから、尋問されれば全部話すはずです』という言葉。あれは警察ではなく、正子に向けていたんだ。『お前では警察の尋問に耐えきれない。だから命を絶って、自らの口を塞げ』とな。この男に対して負い目があり、そして母親としてこの男を心から愛していた正子は、その指示に従った。自らの保身のために母親に自殺を強いるとは、まさに『怪物』だな」

吐き捨てるように言うと、鷹央は桜井に視線を向ける。

「あとのことは、お前も知っているだろ。この男は自分がキメラだということに気づく可能性のある唯一の人物、中本を殺害し、その家に火を放って資料を消した」

「でも、なんで僕たちや警察を先回りするように対応できたんですか？」

僕が口を挟むと、鷹央は少しウェーブのかかった髪を掻いた。

「当り前だろ。警察や私たちが逐一この男に情報を与えていたんだからな」

「僕たちが？」

「そうだ。警察も私たちも、『犯人と血縁関係があり、春日家の内情を知る唯一の人物』であるこの男にことあるごとに話を聞き、情報を得ようとしていた。この男にしてみれば、その質問から警察や私たちがいまどう考え、何について調べているのか手に取るように分かったはずだ。間抜けなことに、私たちは犯人に情報提供していたんだよ」

大きな舌打ちが鷹央の口元から響く。

「この男にしては笑いが止まらなかっただろうな。けれど、その状況に万能感をおぼえ、自意識が肥大していたこの男は大きなミスを犯す」

鷹央は唇の片端を上げて辻を見下ろす。

「あの犯行声明だ。せっかく自らがキメラだと気づく人間を消したっていうのに、『シメール』なんて小洒落た名前を名乗ったせいで、すべてを気づかれるはめになるとはな。よほど調子に乗っていたんだろ。そしてすべてに気づいた私はお前に罠を仕かけた。お前は間抜けにもその罠にのこのこ嵌まりにきたってわけだ」

「鷹央先生。元奥さんに頼んで、この男になんて連絡させたんですか？」

僕の質問に鷹央は左手の人差し指を立てる。

「簡単だ。『今日、警察が話を聞きに来て、あなたの兄弟を探しているって言っていた。私は離婚したあと、あなたが使っていた歯ブラシからＤＮＡをとって改めて息子と親子鑑定をした。そうしたら、あなたの兄弟との子供って結果が返ってきたの。何が起こっているのか詳しく教えてよ。そうじゃなければ、明日警察に話すから』ってな」

鷹央は元妻のメールの内容だけ声色を変えて言うと、皮肉っぽい笑みを浮かべる。

「四年前の件でよほどお前を恨んでいたみたいだな。詳しい話をしなくても、お前が犯罪者で、罠にかけたいって言ったら、簡単に協力してくれたぞ。まあ、不倫の濡れ衣を着せられて捨てられたんだから当然だな」

辻の口から、かすかに歯ぎしりの音が響いた。

「お前は焦ると同時に悦んだろ？　元妻への殺意は、お前の犯行の根源にあるものだ。元妻の身代わりとして、似た女を絞殺していたんだからな。これまでは元妻を手にかければ、自分に嫌疑がかかると思って耐えてきた。しかし、元妻が警察に告げると連絡してきたことで、彼女を殺すメリットがデメリットを上回る事態になった。もはやお前は、胸の奥底に押し込んでいた欲望を抑え込んでおくことができなくなった。その衝動に冷静さを奪われ、お前はまんまと私の罠に嵌まったっていうわけだ」

鷹央は証明終了とでもいうように、人差し指を立てた左手を振ると「さて、なにか反論でもあるか？」と辻に声をかける。全員の目が座り込んでいる辻に向けられる。

辺りに重苦しい沈黙が降りた。

やがて、俯いた辻は細かく肩をふるわせながら、含み笑いを漏らしはじめる。

「……なにがおかしいんだ？」

冷めた声で鷹央が訊ねると、辻が勢いよく顔を上げる。その顔には醜悪な嘲笑が浮かんでいた。

「たしかに俺は怪物だよ。母親の子宮の中にいる頃に双子の兄弟を取り込んで殺し、二種類のＤＮＡを手に入れた、まさに生まれながらの怪物、生まれながらの殺人者だ」

「別にお前は双子の兄弟を殺してなんていない。受精卵段階で細胞が混ざり、一人の人間として生まれてきただけだ。お前は二種類のＤＮＡを持っているから怪物なんじゃない。欲望のまま七人の女を絞殺し、さらに自分の兄や中本も殺害したから怪物なんだ」

「ガキのときから、親父が酒を飲むたびに殴られて、『人殺し』『怪物』となじられてきたんだぞ。お袋も見ているだけで、守ってはくれなかった。そんな環境で育った人間の気持ちが分かるか？」

「お前の育ってきた環境には同情の余地はある。たしかに、シリアルキラーは幼少期に虐待を受けていることが多い。お前の中に『怪物』が生まれたのは、父親による虐待が大きな原因だろう。けれど、お前はずっと抑え込んでいたその『怪物』を自らの意思で解き放ち、女を殺しはじめた。そして、お前自身が怪物になったんだ」

「怪物……、怪物ねえ……」辻は再び含み笑いを漏らす。「さっきから俺のことを怪物呼ばわりしているけれどな、俺から見たらあんただって十分に怪物だよ」

「何を言って……」

僕の反論の言葉を手を差し出して遮ると、鷹央は平板な声で訊ねる。

「私がお前の同類だと？」

「ああ、そうだ。俺を罠にかけて気分がいいだろ。俺を逮捕できて嬉しいだろ。このあと逮捕された俺は裁判にかけられ、有罪になって、死刑になる。首をくくられるんだ。それが分かっているのに、お前は俺を逮捕した」

「そんなの自業自得だろ。お前を逮捕しなきゃ、無実の人間がこれからも殺されていた。鷹央先生はそれを止めただけだ」

我慢できず僕が声を上げると、辻は小馬鹿にしたように鼻を鳴らした。

「この女は警察でも何でもない。俺を止める義務なんかなかったはずだ。それなのに兄貴の死亡診断をしたっていうだけで、遊び半分で事件に首を突っ込みやがって」

「遊び半分なんかじゃない！」

今回の事件で、どれだけ鷹央が責任を感じ、そして犠牲者を出さないように苦しんだかを目の当たりにしている僕は声を荒らげる。そんな僕の背中に、鷹央が手を添えた。

「そう興奮するな。こいつの話を最後まで聞いてやろう」

「あんたの話は刑事たちがいろいろと話してくれたよ。特にそこの刑事がな」

辻はあごをしゃくって桜井を指す。

「生まれながらの天才らしいな。そして、その才能を使いたくて仕方がないから、関係ない事件にも首を突っ込んでは解決していく」

僕は桜井に非難の眼差しを向ける。桜井は露骨に視線を外した。

「あんたも俺も、生まれながらに普通の人間とは違った。俺はそれを利用して女を殺していった。そして、お前はその能力を使って俺を殺す。俺とお前にどんな違いがあるっていうんだ？　俺もお前も同じ怪物なんだよ。普通の人間と同じようには生きることができない怪物だ」

鷹央は固く口を結んだまま、辻を見つめ続けた。

「怪物は、いつかは社会から排除されるのさ。俺にとってそれがいまだっただけだ。それまでに俺は自分のやりたいことをやった。女を七人も殺した。そのときの感触は、女たちの表情は、目をつぶれば蘇(よみがえ)ってくる。俺は満足だ。死刑になるまでの間、ずっとその記憶を反芻(はんすう)して愉(たの)しむことができる。心残りなのは、お前が化けていたあの女を殺せなかったことぐらいだ。……けどいまは、あの女よりあんたを絞め殺してやりたいよ」

舌なめずりをする辻を見て、僕は吐き気をおぼえる。

「お前が謎に、事件に首を突っ込むことも、俺が女を絞め殺すのも、基本的には同じことなんだよ。……あんたはいつ、社会から排除されるんだろうな」

「桜井さん、成瀬さん、もういいでしょう。その男を連行してください」

我慢の限界に来た僕が言うと、桜井は頷いて辻を立ち上がらせる。桜井と成瀬に両脇を固められた辻は、血走った目で鷹央を睨みつけた。

「俺の顔を忘れるな。お前が殺す男の顔だ」

「……忘れんよ。私の頭は忘れられないようにできているんだ」

辻の視線をまっすぐに受け止めながら、鷹央は静かにつぶやいた。桜井たちが辻を連れていこうとする。そのとき外から、「桜井さん、大丈夫ですか？」という声が聞こえてきた。見ると、三浦が家の外に立っていた。

「三浦君、なんでこんなところに？」桜井は目をしばたたかせる。

三浦は今回の逮捕劇に参加することなく、万が一のために辻の前妻の家に護衛として残っていた。

「いえ、犯人が逮捕されたって連絡をいただいたじゃないですか。そうしたら、どうしても現場に行きたいって言い出して」

三浦は申し訳なさそうに背後を指さす。ブロック塀の陰から小柄な女性、辻の元妻が姿を現した。不敵な笑みを浮かべていた辻の顔がゆがみ、そこに恐怖に近い表情が浮かんだ。

大きく見開かれた辻の目は、ずっと殺すことを夢見てきた女性ではなく、彼女の足にしがみつく小さな人影に向けられていた。それは子供だった。四年前、辻が捨てた息子が、きょとんとした表情でたたずんでいた。

「あのおじさん、誰？」

息子の眼差しに射貫かれた瞬間、辻は悲鳴を上げて顔を隠した。

「俺を見せるな！　あの子に俺を見せないでくれ。頼むから！」

汚れない双眸に映る、怪物と化した自らの姿に耐えきれなかったのか、辻は懇願の声を上げる。

元妻は慌てて辻から守るように息子を抱きかかえると、身を翻して去って行った。

二人の姿が見えなくなっても、辻は顔を隠してうずくまり続ける。

「小鳥、行くぞ。もう事件は終わった」

「ええ……、そうですね」

鷹央は辻に一瞥もくれることなく歩き出す。僕は口を固く結んでそのあとを追った。

背後から男の悲痛なうめき声が響いてきた。

エピローグ

「鷹央先生！」

玄関扉を勢いよく開けて〝家〟に入った僕は、声を張り上げる。

「なんだよ、でかい声出して」パソコンの前に座っていた鷹央が振り返った。

「なんだよじゃありません！　鴻ノ池になにを吹き込んだんですか⁉」

「舞に吹き込んだ？　なんの話だ？」

「首輪のことですよ。先週、僕が先生に鉄の首輪を嵌めたって鴻ノ池に言ったでしょ」

辻が逮捕されてからすでに六日が経っていた。あの日以来、日本中を震撼させた殺人犯の逮捕の話題は、いまもニュースやワイドショーを大きく賑わせ続けている。

先日、桜井から連絡があり、辻の血液から採取されたＤＮＡが犯行現場に残されていたものと一致し、辻が『真夜中の絞殺魔』であることが確認されたということだ。

捜査本部の方針に逆らい、鷹央に協力を仰いだことについて桜井は、管理官をはじめとする捜査本部の幹部たちから強い非難を浴びたらしいが、警視庁が威信をかけて追っていた犯人を逮捕したという功績もあり、処分などは受けないですんだらしい。

そうして事件は解決し、また日常が戻っていた今日、僕が金曜恒例の救急部での勤務を終えて一階のロビーをエレベーターに向かって歩いていると、帰宅途中の鴻ノ池とすれ違った。僕を見て一瞬目を大きくした鴻ノ池は、露骨に視線を外して離れていった。

なにかにつけて僕をからかってくる天敵に絡まれなかったのは良かったのだが、いつもとはあまりにも違う態度が気になり、僕は一瞬迷ったあと鴻ノ池の後を追った。背後から「よう」と肩を叩くと、振り返った鴻ノ池は顔を引きつらせ、軽く身を引いた。

「どうしたんだよ、なんか僕を避けてないか？」

「いえ、まあ、……はあ」

歯切れの悪い鴻ノ池の目には、かすかに怯えと、そして軽蔑の色が浮かんでいた。

「何だよ。お前に何かしたか？」

この前、無視したことで避けられているのだろうか？　そんなことを考えていた僕に向かって鴻ノ池はとんでもないことを言い出した。

「私にじゃなくて鷹央先生に……。いえ、小鳥先生がどんな性癖を持っていても、そこは個人の自由だと思うんですよ。けれど、鷹央先生は一応、上司でもあるわけじゃないですか。鷹央先生と小鳥先生がいけない関係になったのは嬉しいというか、計画通りというか、むしろウェルカムなんですけど、いきなり……首輪嵌めたりするっていうのはやり過ぎだと思うんですよ」

あまりのことに思考が停止している僕に、「そういう過激なプレイに行く前に、もう少しステップを踏んだ方がいいですよ」と言い残し、鴻ノ池は去って行ったのだった。

「いつ首輪の件を話したんですか⁉」僕は鷹央に詰め寄る。

「ん？　さっき、遊びに来た舞が首のあざに気づいたから、お前に嵌められた首輪の跡だって説明したんだ」

鷹央は自分の首元に触れる。首輪の上からロープで思い切り絞められたせいで、そこには傷跡が残っていた。受傷直後よりはかなり薄くなっているが、いまだに赤く残る擦り傷が痛々しい。

「説明が雑すぎます！　おかしなことを吹き込まないでくださいよ。あいつに知られたら、三日後には病院中の噂になっているんですよ」

「べつに間違ってはいないだろ。あの首輪は自分では嵌められないから、お前にやってもらったんだから」

「鷹央先生の説明では、僕は上司に首輪を嵌めて悦んでいる変態になるんですよ。早く鴻ノ池の誤解を解いてください」

「分かった分かった。週明けに舞に会ったら……」

「いますぐに電話してください！」

僕は鷹央にずいっと顔を近づける。週末を挟んだりしたら、間違いなく噂は回収不可能なほどに拡散している。

「……分かったよ。この記事だけ読み終わったら電話する。それでいいだろ」

「なんの記事を読んでいるんですか？」

僕は鷹央の肩越しにパソコンの画面をのぞき込む。そこには辻の顔写真と、『真夜中の絞殺魔　異常性欲者のおぞましい履歴書』と大きなフォントの文字が躍っていた。

僕はディスプレイに表示されている文字を追っていく。そこには眉唾ものの噂が扇情的に書き連ねられていた。辻本人だけでなく、その家族に関するプライバシーにまで土足で踏み入るような節操のない記事。胸の辺りがむかついてくる。

「なんでこんな下らない記事を？」

「下らないからだ。犯人である辻だけならまだしも、その家族のことまで不正確な噂を書き殴り、その名誉を汚している。あまりにも下劣な記事だ」

拳を握りしめた鷹央は、声を絞り出していく。

「これは私があの男を逮捕させた結果、起きていることだ。私のせいで、あの男の妻や子供は世間の晒しものになっている」

四年前に離婚していた辻の元妻とその子供については、情報がほとんど漏れていないためか、マスコミの被害もあまりないらしい。しかし、辻が現在の妻子と住んでいた家には連日マスコミが押しかけ、妻に対してデリカシーも容赦もない質問の雨を浴びせかけていた。桜井によれば、妻はまだ幼い子供とともに実家に逃げ帰ったが、そこにもマスコミが押しかけているということだ。

「それは鷹央先生のせいじゃありませんよ。先生は間違ったことはしていません。あのまま辻を放っておけば、あと何人殺されていたか分からないんですよ」

僕は必死にフォローするが、鷹央の表情が緩むことはなかった。

「間違ったことをしたとは思っていない。ただ、正しいことをしたからといって、責任がないわけじゃない。私の行動の結果として、辻の家族はこんな下劣な記事にプライバシーを晒され、そして……辻は間違いなく死刑になる」

「……家族はともかく、辻は自業自得です」

「たしかに自業自得だ。けれど、私が間接的にあの男の命を奪うという事実が変わるわけじゃない」

鷹央はディスプレイに映る辻の写真をまっすぐに見る。僕はなんと言葉をかければよいか分からなかった。

「怪物……」鷹央がぼそりとつぶやく。「私も自分と同じような怪物だと、辻は言っていたな」

「あんな男の言葉なんて気にすることありません。先生は怪物なんかじゃありません」

「それは、『怪物』の定義によるな。あいつは二つのＤＮＡを持っていた、生まれながらに他人と違っていたことで自らを『怪物』だと定義した。そういう意味なら、私も間違いなく怪物だ。私の知性に関しては持って生まれた部分がかなり大きいからな。そして、私はその力をもって辻を告発し、あの男を死刑台に送ったんだ」

「ちがいます！　辻は二つのＤＮＡを持っていることを利用して、欲望のままに人を殺したからこそ怪物なんです。先生の知能は才能です。それを正しく使っている先生は、怪物なんかじゃありません！」

僕は力を込めて鷹央を説得する。鷹央は僕に視線を向けると、大きく息を吐いた。

「そうだな。けれど私は、自分の中にも辻と同じような、『本物の怪物』がいないか怖いんだよ」

「本物の怪物？」

「私は今回の事件で、それこそ目の色を変えて犯人を追った。そして、私は謎が解けた瞬間、喜びを感じ、嬉々として辻を罠にかけた。あいつが死刑になるのが分かったうえでな。私の中の怪物が、辻を殺すことを喜んでいたんじゃないか。そんな気がするんだよ」

それは違う。鷹央はなにより、あれ以上被害者を出さないように苦悩し、必死に『真夜中の絞殺魔』の正体を暴いたのだ。自らの身を危険に晒してまで。この人の中に『怪物』なんているはずがない。しかし、僕がそうフォローする前に、鷹央は力なく言葉を続ける。

「もし私の知能と知識を駆使すれば、辻より遥かに洗練された犯罪が可能だ。犯人が私だと分からないだけじゃなく、犯罪自体が起きたことすら気づかせないこともな」

僕は口を固く結んで、鷹央の話に耳を傾ける。

「普通の人間なら、たとえ誰かを殺したいと思っても、逮捕されるリスクなどを考えて思いとどまる。けれど、私にはそのハードルはない。完全犯罪が可能なんだからな。つまり、私が犯罪に対する衝動に襲われたら、何一つ止めるものがないということだ。そうなったとき、私は辻と同じ、『本物の怪物』になってしまう」

鷹央は自らの肩に手を回す。華奢な背中がいつも以上に小さく見えた。

「そんなことにはなりません！」僕は身を乗り出すと、覇気を込めて言う。

「な、なんだよ、いきなり。なんでそう言えるんだよ」鷹央は椅子の上でのけぞった。

「これまで、一年間近くここで働いてきたからですよ。鷹央先生は辻とは違います。先生はなんだかんだ言って思いやりがある人です」

それが僕の正直な感想だった。その言動から誤解されることが多いが、鷹央は優しい人間だ。だからこそ辻の家族のことを気にし、責任を感じているのだ。

「お、思いやりがある……!?」

自分を指さし、鷹央は声を裏返す。その頬がかすかに赤らんでいるように見えた。珍しく照れているのかもしれない。

「思いやりがあったって、誰かを恨まないとは限らないだろ。だからだな……、えっと……、私が犯罪に手を染めないとは限らないわけで……」

あっ、これ、完全に照れてるわ。鷹央の珍しい反応に、思わず頬が緩む。

「大丈夫ですよ。そのときは僕が止めますから」

「お前が？」

「ええ、鷹央先生は確かに天才ですけど、結構抜けているところがあることをこの十ヶ月で知っていますからね。鷹央先生が完全犯罪を計画しても、僕なら止められますよ」

鷹央は数秒間、僕を見つめたあと、俯いて笑い声を漏らした。どこか安堵したような笑い声を。

顔を上げた鷹央の顔からは不安の色は消え、皮肉っぽい笑みが浮かんでいた。

「お前ごときが私を止められると思っているのか？　見くびるなよ」

「……完全に悪役のセリフですよ、それ」

僕と鷹央の視線が絡む。お互い同時に吹き出してしまった。

「さて、それじゃあ落ち着いたところで、鴻ノ池に電話をして誤解を解いてくださいよ」

僕が促すと、鷹央は露骨に面倒そうな表情になる。

「面倒くさいな。明日じゃだめか？」

「ダメです！　その間に、鴻ノ池がどれだけ噂を広めると思っているんですか！」

「いいじゃないか。お前が変わった性癖を持っているって噂が広まっても、私はべつに困らないし」

……やっぱり、思いやりとかないかもしれない。僕は内心で鷹央の評価を修正すべきか迷いつつ、「いいから電話してください！」と語気を強める。鷹央は不満げに頬を膨らませると、手術着のポケットからスマートフォンを取り出した。

「ほれ、女どうしの話をするんだから、お前は少し離れてろ」

鷹央は虫を追い払うように手を振る。僕は「分かりましたよ」と部屋を横切り、ソファーに腰掛けた。

たしかに鷹央は常人とは違う才能を持っている。その力をもってすれば、容易に他人を傷つけることもできるだろう。しかし、鷹央は医師となり、その能力で人を救うことを選択した。そんな人が怪物であるわけがない。

彼女が自分の力に振り回され、破滅の道に進みそうになったときは、僕が止めればいい。

僕こそが彼女の最も近くにいる者なのだから。

僕は決意を固めながら、電話をする鷹央に視線を向ける。間接照明の柔らかい光が、その横顔を淡く照らしていた。

鷹央の恋人？
天久鷹央の日常カルテ

できる……。僕ならできるはずだ。

緊張を息に溶かして吐き出しながら、僕は自分に言い聞かせる。

『甦(よみがえ)る殺人者事件』が衝撃的な解決に至った翌週、平日の午後七時過ぎ、僕は自分のデスクがある屋上のプレハブ小屋にいた。

これから、極めて重要な作戦を遂行しなければならなかった。

万が一これに失敗すれば、僕はおそらく死ぬことになるだろう。

……社会的に。

大きくため息をつきながら、デスクに置いてある茶色い紙袋の口を広げる。その中には、手錠、猿ぐつわ、そして武骨な棘(とげ)がついた首輪という、本格的なＳＭ器具が入っていた。

先日、愛人とのＳＭプレイ中に心筋梗塞を起こして救急搬送されてきた中年男性が身に着けていたものだ。「妻に見つからないように処分しておいてくれ！」とあまりにも悲痛な声で懇願され、思わず預かってしまったのだが、どう処分していいのか分からず、今日まで来てしまった。

まあ、そのお陰で『甦る殺人者事件』を解決できた側面もあるのだけど……。

僕は紙袋の口を閉じると、右手で固く摑んだ。

これを誰にも気づかれずに病院から自宅まで移送し、廃棄する。それこそが、今日のミッションだった。

病院で燃えるゴミに出そうと思っていたのだが、どこかの馬鹿研修医に僕がこの首輪を鷹央に嵌めたという根も葉もな（くはな）い噂が伝わったため、うかつなことができなくなってしまった。

鴻ノ池に知られた以上、病院中にあの噂が広がったと考えるべきだ。

人のうわさも七十五日というから、放っておけばそのうちみんな忘れてくれるだろう。しかし、それはあくまで、この危険物を僕が気づかれずに処理出来たらの話だ。もしこんなものを持っているところを目撃されたら、僕が上司に首輪をつけて悦ぶ変態だということが事実として確定してしまう。

だから、誰にも気づかれないように素早く病院をあとにして車に乗って逃亡……、もとい、帰宅をしなくてはならない。

覚悟を決めた僕は扉を開くと、ＳＭ器具が入っている紙袋を胸に固く抱くようにして屋上に出た。

鷹央の〝家〟を横目に屋上を小走りに進み、階段を一階まで駆けおり、診療時間が終わって無人の一階外来待合を横切っていく。

病院の裏手にある職員用出入り口まであと少し。そこを出れば愛車のRX－8が停(と)めてある駐車場までわずか二十メートルほどだ。

ミッションコンプリートだ！　僕が胸の中で快哉(かいさい)を叫びかけたとき、「小鳥遊(たかなし)先生」という声が聞こえてきた。

いまの声は……。体を震わせて足を止めた僕は、おそるおそる振り返る。そこに予想通りの人物がいた。鷹央の姉であり、この病院の事務長である天久真鶴(あめくまづる)。憧れの人である真鶴に話しかけられる。いつもなら喜ばしい状況だ。しかし、いまはまずい。僕が持っている紙袋の中には、僕を（社会的に）抹殺しかねない、超弩級(ちょうどきゅう)の危険物が入っているのだ。

「ど、どうも、真鶴さん」

声が上ずってしまう。

「いまちょっとお時間ありますでしょうか？」

「お時間……ですか？　えっとですね……」

どうやってこの場から去ろうかと必死に頭を働かせる僕は、真鶴の表情を見てはっと息を呑(の)む。端整なその顔には、暗い陰が差していた。

真鶴はなにか深刻な悩みを抱え、それを僕に相談しようとしている。

憧れの人が頼ってくれているのに、それにこたえなくてどうする。

僕は微笑むと、ゆっくりと頷いた。

「はい、大丈夫です。なんのお話ですか？」

「あの、小鳥遊先生にはいつも鷹央といい関係を築いて下さって、本当に感謝しています。なんといいますか……、あの子と付き合うのは大変だと思いますが……」

やけに歯切れ悪く真鶴は言う。やはり、鷹央についての相談らしい。

あの人、またなにかしでかしたのか？

「まあ、大変と言えば大変ですけど、もう慣れました。最近はそれなりに仲良くやっていますよ」

「仲良く……ですか」

なぜか真鶴の顔が引きつった。

「どうかしましたか？」

訊ねると、真鶴は僕から視線を外しつつ、ぼそぼそと話しはじめる。

「いえ、鷹央が小鳥遊先生と仲良くするのは、とても喜ばしいというか……、とうとうあの子にもそういう相手が出来たんだって、姉として嬉しく思っているんですけど……」

言葉を濁す真鶴に、眉間にしわが寄っていくのを感じる。

なにか話がおかしな方向に行っていないか？

不安をおぼえる僕に向かって、真鶴は意を決するように言った。

「二人の関係に口を挟む気はないんですけど、あの子、そういう経験はほとんどないので、いきなり、その……ハードな行為と言いますか……、SMプレイをするのはちょっと早すぎると思うんです。もう少し、一般的な関係からゆっくり進めて頂けないでしょうか」

「違うんです！」

僕の悲鳴じみた叫びが、薄暗い外来待合にこだました。

「……というわけで、全部間違いなんです。完全な誤解なんです」

外来待合で真鶴と向かい合いながら、僕は必死に言葉を尽くして、鷹央と交際していないし、ましてやSMプレイなどしていないということを伝える。

「そうなんですね。すみません、私、噂を真に受けてしまって……」

真鶴は首をすくめるようにして謝罪する。何とか信じて貰えたことに胸を撫でおろしていると、真鶴は「けど……」と言葉を続けた。

「鷹央が小鳥遊先生とお付き合いしているわけじゃないことについては、ちょっと残念だったりします」

「真鶴さんまで、やめて下さいよ」

　僕が頭を掻くと、真鶴は「すみません」とおどけて、小さく舌を出した。その仕草があまりにも可愛らしく、それでいて蠱惑的で、心臓が大きく跳ねてしまう。

「ただ、姉として鷹央のことがちょっと心配でして」

「そりゃ、心配でしょうね。放っておくと何しでかすか想像がつかないですから」

　今回なんて、連続殺人事件に首を突っ込んでいたしな……。心の中で付け足す僕の前で、真鶴は形のいい眉を八の字にした。

「それもなんですけど、あの子のことをよく理解してくれる恋人がいてくれたらと常々思っていまして。これまで、あの子、恋人と長続きしたことないんで」

「鷹央先生に恋人、いたことあるんですか⁉」

　あまりの衝撃に、思わず声が裏返ってしまう。

「いえ、と言っても、ほとんどは年下の子が鷹央を慕ってぐいぐい来て、あの子も別に断るほどでもないしなって押し切られた形ですね。交際というより、たんなる親友のような、微妙な関係のようでした」

「そ、そうなんですね……」

　相槌を打ったものの、やはりどうしても信じられなかった。僕がこめかみを押さえていると、真鶴が付け足す。

「鷹央って年下の女の子にだけは、なぜかすごくモテるんですよね」

「あ……、なるほど……」

たしかに、それはあるかもしれない。鴻ノ池とか、最初に鷹央に会ったときから「可愛いのにかっこいい！」とか騒いでいたし。

しかし、思わぬところで鷹央の過去の恋愛遍歴を聞いてしまったが、良かったのだろうか？　なにか、いま胸に抱いている紙袋の中身以上に危険な情報を、はからずも知ってしまったのではないだろうか。

このことをもし鷹央に知られたら、社会的どころか、実際に命の危険がある気がする……。

僕が怯えていると、真鶴ははっとした表情になる。

「ごめんなさい。いくら妹とはいえ、人の恋愛話を勝手に他人に言うのは良くないですよね。忘れて下さい」

忘れられたら、どれだけいいか……。

「何にしろ、性別は関係なく、鷹央には恋人……、じゃなくてもいいので、信頼できるパートナーがずっとそばにいて、支えてくれたらなと思っているんです。小鳥遊先生だったら、まさに理想的な相手だと思って」

弱々しい笑みを浮かべる真鶴を見て、僕は無意識に口を開いていた。

「僕は鷹央先生の恋人ではありませんけど、パートナーだとは思っていますよ。そして、そばでしっかり支えていくつもりです」

「小鳥遊先生……」

真鶴に見つめられ、自分が発した言葉を頭の中で反芻した僕は、急に恥ずかしくなる。なんて臭いセリフを吐いてしまったんだろう。

「もちろん、仕事上のパートナー、というか、部下としてですけど」

早口で付け足した僕に、真鶴は蕩けるような笑みを浮かべると、深々と頭を下げた。

「小鳥遊先生、ふつつかな妹ですが、どうか鷹央のことをよろしくお願いします」

「いえ、そんな、こちらこそ……」

慌てて僕も頭を下げる。あまりにも魅力的な真鶴の笑みに、胸に危険物を抱えていることも忘れて。

深く一礼すると同時に、紙袋からぼとぼとＳＭ器具が零れ落ちた。

時間が止まったかのような沈黙が、僕と真鶴の間に満ちる。

十数秒後、真鶴は無表情で床に落ちていた器具をそっと拾い、僕に押し付けると、そのまま身を翻して逃げるように去っていく。

「違うんです！　誤解です！　話を聞いて下さい！」

再び、僕の涙まじりの叫びが、外来待合に響き渡ったのだった。

本作は二〇一七年十月に刊行された
『甦る殺人者 天久鷹央の事件カルテ』（新潮文庫）を
加筆・修正の上、完全版としたものです。
完全版刊行に際し、新たに書き下ろし掌編を収録しました。

実業之日本社文庫　好評既刊

知念実希人
誘拐遊戯
女子高生が誘拐された。犯人を名乗るのは「ゲームマスター」。交渉役の元刑事が東京中を駆け回るが…。衝撃の結末が待つ犯罪ミステリー×サスペンス！
ち1 5

知念実希人
崩れる脳を抱きしめて
研修医のもとに、彼女の死の知らせが届く……。愛した彼女は本当に死んだのか？　驚愕し、感動する、恋愛ミステリー。著者初の本屋大賞ノミネート作品！
ち1 6

知念実希人
天久鷹央の推理カルテ　完全版
河童を目撃した少年。人魂に怯える看護師。その「謎」に秘められた「病」とは。本格医療ミステリー、ここに開幕！　書き下ろし掌編「蜜柑と真鶴」収録。
ち1 101

知念実希人
ファントムの病棟　天久鷹央の推理カルテ　完全版
毒の混入を訴えるトラック運転手。病室に天使がいる、と語る少年。摩訶不思議な事件の真相は？　書き下ろし掌編「ソフトボールと真鶴」収録の完全版！
ち1 102

知念実希人
密室のパラノイア　天久鷹央の推理カルテ　完全版
誰も入れない密室で起きた「溺死」。病院理事長の息子は、なぜ不可解な死を遂げたのか……？　書き下ろし掌編「小鳥遊先生、さようなら」収録の完全版。
ち1 103

実業之日本社文庫　好評既刊

実業之日本社文庫 ち1 203

甦る殺人者 天久鷹央の事件カルテ 完全版

2024年1月20日 初版第1刷発行

著 者 知念実希人

発行者 岩野裕一
発行所 株式会社実業之日本社
〒107-0062 東京都港区南青山6-6-22 emergence 2
電話 [編集]03(6809)0473 [販売]03(6809)0495
ホームページ https://www.j-n.co.jp/
DTP ラッシュ
印刷所 大日本印刷株式会社
製本所 大日本印刷株式会社

フォーマットデザイン 鈴木正道(Suzuki Design)

ISBN978-4-408-55860-8(第二文芸)